CW00430828

COLLECTION FOLIO

Akira Mizubayashi

# Un amour de Mille-Ans

Gallimard

© *Éditions Gallimard, 2017.*

Écrivain et traducteur japonais, Akira Mizubayashi est né en 1951. Après des études à l'université nationale des langues et civilisations étrangères de Tokyo (UNALCET), il part pour la France en 1973 et suit à l'université Paul-Valéry de Montpellier une formation pédagogique pour devenir professeur de français (langue étrangère). Il revient à Tokyo en 1976, fait une maîtrise de lettres modernes, puis, en 1979, revient en France comme élève de l'École normale supérieure. De 1983 à 2017, il a enseigné le français à Tokyo, successivement à l'université Meiji, à l'UNALCET et à l'université Sophia. *Une langue venue d'ailleurs* (2011) a reçu de l'Association des écrivains de langue française le prix littéraire de l'Asie 2011, de l'Académie française le prix du Rayonnement de la langue et de la littérature françaises 2011 et du Richelieu international-Europe le prix littéraire Richelieu de la francophonie 2013. *Mélodie, Chronique d'une passion* (2013) a obtenu le prix littéraire 30 Millions d'amis 2013 et le prix littéraire de la Société centrale canine 2013. Depuis ont paru *Petit éloge de l'errance* (2014), *Un amour de Mille-Ans* (2017) et *Dans les eaux profondes* (2018).

*Pour Michèle*

— *Qu'est-ce qui vous a poussé à fournir un effort aussi extraordinaire pour ce projet d'enregistrement des* Noces de Figaro *?*

— On pourrait dire que c'est la représentation des *Noces de Figaro* que nous avons donnée il y a dix ans dans un hospice moscovite, devant des malades en phase terminale. Le but du spectacle était de célébrer la vie, et je n'oublierai jamais l'effet que cette musique a produit sur ce groupe de personnes qui, à ma connaissance, ne l'avaient encore jamais entendue. Tout en dirigeant, je ne pouvais m'empêcher de penser : « Dire qu'on peut mourir sans avoir entendu ce chef-d'œuvre ! Mais qu'en serait-il si ce danger menaçait tout le monde, même ceux qui connaissent parfaitement l'œuvre par l'intermédiaire du disque ou parce qu'ils vont souvent à l'opéra ? »

TEODOR CURRENTZIS

L'amitié du chien pour son maître est proverbiale ; et, comme le dit un vieil écrivain : « Le chien est le seul être sur cette terre qui vous aime plus qu'il ne s'aime lui-même. »

CHARLES DARWIN

*Noren* : un rideau japonais en tissu, plus ou moins long, fendu le plus souvent en son milieu, qu'on met à l'entrée d'un magasin à l'instar d'une enseigne. On s'en sert également à l'intérieur des maisons pour marquer une séparation entre deux pièces.

# SINFONIA

Le père de Sen-nen, un soir de sa vieillesse avancée, avait dit à sa femme beaucoup plus jeune que lui : « Puisque nous sommes tous mortels et que je dois mourir un jour, j'aimerais mourir le lendemain de ta mort. » Il savait que la probabilité d'une telle situation était faible. Mais ces mots l'obsédaient. Il se les répétait, inquiet de laisser sa femme seule, après sa mort, dans une existence matériellement difficile.

Beaucoup d'eau avait coulé sous les ponts depuis ce moment-là. Le père de Sen-nen n'était plus de ce monde. On l'avait trouvé mort un matin sur son lit d'hôpital à Tokyo. Sa mère, quelques années plus tard, l'avait rejoint après une période de démence sénile qui avait assombri la fin de sa vie et celle de son entourage. Sen-nen se souvenait toutefois du faible sourire de sa mère lorsqu'elle évoquait en les embellissant certains pans de sa vie conjugale dans ses rares moments de lucidité. Il se demandait souvent si, à l'heure suprême, les pensées de son père s'étaient tournées vers sa femme, et inversement. Ou chacun ne voyait-il que sa propre mort ?

Sen-nen avait vieilli à son tour. Son visage se marbrait de taches, la calvitie grignotait du terrain sur son crâne. Il comprenait maintenant autrement la phrase murmurée des années auparavant par son père, et pressentait avec effroi moins sa propre disparition que l'impossibilité de survivre à celle de sa femme. Comment pourrait-il continuer à vivre sans sentir les battements du cœur de Mathilde ni la chaleur de son corps contre le sien ?

L'amour se mesure à l'intensité et à la durée de la douleur provoquée par la disparition de l'être aimé. C'est la peur de ne plus pouvoir assumer la vie seul. Sen-nen vivait, maintenant, dans cette inquiétude sourde et lancinante. Mathilde était atteinte d'une maladie difficile à soigner et il était dès lors conscient que la vie de sa femme avait une fin et que cette fin n'était pas si lointaine que cela. Il vivait dans la terreur secrète d'un gouffre béant.

Comment s'accoutumer à l'absence scandaleuse de l'être aimé, comment apprivoiser son ombre, son fantôme qui erre dans le flux et le reflux des souvenirs sans cesse renaissants ? Il avait peur. Qu'est-ce qui pourrait suppléer au désert qui s'étend dans le cœur, à l'affliction qui ronge l'esprit ? Serait-ce la musique ?

Une scène de *Tous les matins du monde* d'Alain Corneau lui revenait. Sainte-Colombe, un maître incontesté de l'art de la viole, ne se console pas de la mort prématurée de son épouse. Les années passent. En s'éloignant de la Cour, en s'isolant du monde, il s'exerce dans son humble cabane jusqu'à quinze heures par jour. Il y joue son *Tombeau des regrets* qu'il a composé à l'occasion du deuil. Au son des sept cordes de l'instrument, sa femme revient alors jusqu'à lui. Folie ou vérité, la vision de Madame de Sainte-Colombe rappelée du royaume des morts par la douleur de la musique procure du bonheur au violiste, qui dès lors s'absorbe toujours davantage dans la musique loin des rumeurs de la ville et de la Cour. L'art résiste à la mort.

Le matin, la musique accompagnait Sen-nen dans le passage angoissant de la nuit au jour. Le soir venu, elle l'aidait à accepter le monde du sommeil. Pas un jour ne passait sans qu'il ne s'immergeât dans les eaux profondes de la musique s'élevant de la nuit précédente. Pas une nuit ne s'achevait sans qu'il ne se laissât séduire par la clarté printanière de la musique surgissant de son rêve éveillé de la veille. Souvent il se voyait debout sur un tapis volant et atterrissait doucement sur un immense disque 78 tours tournant à toute vitesse, tandis qu'il entendait les majestueux et ténébreux accords en *ré* majeur du premier mouvement du *Concerto pour violon* de Beethoven. Chaque fois, il était bouleversé ; chaque fois, il se réveillait en sanglotant comme un enfant.

Un jour d'automne, Sen-nen reçut un email de la part d'une personne qu'il avait connue pendant une très brève période de sa jeunesse. C'était un assez long message. *Je ne sais pas si vous vous souvenez de moi*... Une ancienne connaissance lui apprenait la reprise des *Noces de Figaro* qui avaient été, jadis, la raison de leur rencontre.

Quelques jours plus tard, empruntant un couloir de la station de métro Montparnasse, il vit une grande affiche qui annonçait les représentations des *Noces de Figaro* dans la mise en scène évoquée par cette personne. Il remarqua son nom dans un coin. Elle avait collaboré à la réactualisation de la mise en scène.

Sen-nen avait découvert précocement la puissance prodigieuse de la voix humaine. Pour lui, elle était un instrument de musique à part entière. Dès l'adolescence il s'était persuadé que les mots parlés étaient des baudruches, ils étaient vides et désincarnés. Le chant, en revanche, leur donnait une force propre, il compensait la faiblesse du langage.

À treize ans, il fut subjugué par des cantatrices italiennes à la télévision. Elles étaient venues à Tokyo interpréter quelques œuvres majeures du répertoire lyrique italien. Deux ou trois mois plus tôt, son grand frère, qui pratiquait l'opéra au lycée, avait apporté des disques à la maison. Sen-nen avait découvert des airs célèbres chantés par de grands ténors comme Mario del Monaco, Beniamino Gigli, Ferruccio Tagliavini, Jussi Björling... Un soir, à une heure tardive de la nuit — c'était pendant les vacances scolaires d'hiver autour du 1er janvier, un des moments les plus festifs —, enfoncé dans un grand fauteuil, il avait regardé, fasciné, une retransmission de *Tosca*. Le petit écran du téléviseur dans un coffrage volumineux lui avait rappelé la tête d'un personnage de manga fantastique. L'adolescent s'était senti happé par les mots italiens qu'il ne comprenait pas ; il était entré dans le foisonnement voluptueux de la musique lisse, épaisse, veloutée. Sous la couverture qui le protégeait du froid, il était resté immobile comme un chien couché qui rêve. Isolé de la réalité environnante, il avait eu le sentiment de goûter une saveur secrète, d'ouvrir la porte d'une chambre luxueuse qui ne lui était pas destinée. Tandis que se mêlaient la voix du ténor et celle de la belle soprane dans sa robe décolletée d'un rouge écarlate qui faisait miroiter le creux de ses seins, il avait senti son pénis se durcir.

Sen-nen ressentit une envie irrépressible d'assister à la reprise de son opéra préféré. Quelque chose d'obscur et de puissant montait en lui.

Depuis longtemps, il n'allait plus à l'opéra, ni dans les musées. La maladie de Mathilde les avait coupés du monde. Les gens, excepté deux ou trois vieux amis, s'étaient peu à peu éloignés d'eux. Ils s'étaient retrouvés pratiquement seuls, à l'écart des agitations urbaines, dans une solitude sereine. En dehors d'une promenade quotidienne qu'il s'imposait matin et soir en compagnie de Blanca, leur chienne golden retriever, il ne sortait que rarement ; son rayon d'action se limitait à quelques magasins de proximité où il avait le plaisir de converser avec les commerçants. Rester des heures entières auprès de sa femme ne lui pesait pas, bien au contraire. L'idée même de prendre du plaisir sans elle n'avait pas de sens. Il n'avait conservé, comme activités solitaires, que la lecture et l'écoute de la musique. Lorsqu'il tombait sur des pages qu'il trouvait admirables, il les lisait à voix haute pour Mathilde. Régulièrement, il s'exilait dans quelque œuvre du répertoire lyrique ; la musique de chambre pouvait le mettre au bord des larmes ; et lorsque Mathilde résistait à l'effet soporifique des médicaments, il lui faisait partager son émotion. La musique devenait alors pour eux comme une prière sans paroles, l'occasion d'un silencieux échange de sourires et de soupirs d'émerveillement.

# I. *MATHILDE I*

# 1

Sen-nen et Mathilde s'étaient rencontrés un été dans un village languedocien qui accueillait un stage de chant. Ils avaient tous les deux passé le cap de la trentaine, mais, le plus souvent, on ne leur donnait pas leur âge : ils avaient un air juvénile, celui d'un lycéen et d'une lycéenne prolongés. Sen-nen, ayant soutenu sa thèse en littérature française, se préparait à l'idée de rentrer au Japon pour gagner sa vie. Mathilde, munie de sa maîtrise de lettres modernes et de philosophie, travaillait à l'Alliance française dans une ville d'Angleterre. Elle avait toujours été attirée par l'étranger. Seule, presque sans famille, elle n'était attachée à aucune terre. Elle était, sans doute à son insu, dans l'attente d'un événement qui la pousserait à prendre une décision. Son métier ne la passionnait pas. Elle préparait consciencieusement ses cours, mais elle sentait au fond d'elle-même une boule d'énergie inemployée.

Depuis longtemps, Sen-nen voulait apprendre le chant lyrique. Petit, il avait appris à jouer du piano sous la silencieuse pression de ses parents. Il avait cependant rapidement abandonné l'instrument au profit des joies enfantines de son âge. Puis, pendant son adolescence lycéenne, il s'était familiarisé avec quelques opéras de Mozart et lieder de Schumann. Il avait trouvé, dans l'équilibre des ensembles vocaux des *Noces de Figaro* et de *Così fan tutte*, une véritable jeunesse du monde, une humanité qu'il ignorait et qui lui semblait indiquer un horizon à atteindre. C'est d'ailleurs la raison qui l'avait poussé à choisir pour sujet de thèse les Lumières européennes. Quant à Schumann, depuis le jour où il avait entendu Dietrich Fischer-Dieskau chanter *Dichterliebe*, il avait voulu apprendre à chanter au moins les deux premiers lieder : « *Im wunderschönen Monat Mai* (*Au merveilleux mois de mai*) » et « *Aus meinen Tränen sprießen* (*De mes larmes éclosent*) ». Dans les amours du poète, il entendait la voix d'un jeune homme à la recherche d'un chemin de vie, d'une voie de bonheur. Il lui semblait que le chant schumannien soutenu aussi bien par la voix que par le piano disait ce que les mots seuls ne pouvaient articuler.

Quant à Mathilde, elle avait fait du piano dans son enfance et son adolescence, selon le vœu de ses parents. Enfant docile, elle était bonne élève et avait pris des leçons de piano avec un ancien concertiste qui s'était retiré dans sa ville. Mais, quelques années plus tard, quand les études au lycée devinrent plus difficiles, qu'elles demandèrent un travail constant et une révision régulière à la maison, elle préféra lâcher son instrument qui lui prenait trop de temps. Par ailleurs, elle ne se sentait plus capable de supporter une discipline aussi implacable, une vie aussi austère, contraires en fin de compte aux penchants naturels qu'elle croyait porter dans son cœur de jeune fille. Mais lorsqu'elle entreprit des études de lettres à l'université, la musique lui revint comme une vieille amie toujours fidèle. Elle consola Mathilde du terrible sentiment de déréliction provoqué par la disparition brutale de ses parents dans un accident de la circulation. Mathilde fit l'acquisition d'une chaîne hi-fi qui élargit son univers musical. La musique, dès lors, accompagna son quotidien. Il y avait un piano Yamaha dans la résidence universitaire où elle avait une chambre. Ce fut un plaisir de retoucher le clavier. Un jour, lorsqu'elle jouait une sonate de Mozart qu'elle avait bien apprise plusieurs années auparavant, une étudiante arriva pour jouer également. C'était une Italienne. Elles sympathisèrent et finirent par convenir de jouer ensemble la mélancolique *Fantaisie* à quatre mains de Schubert, que l'Italienne lui fit découvrir. Elles s'exercèrent une fois par semaine : ce fut un enchantement.

Mathilde s'immergea ainsi dans la musique, seule apte à adoucir sa tristesse sans fond. Un soir elle écouta, émerveillée, le joyeux couple Papageno-Papagena débordant d'énergie jubilatoire. De là elle fut naturellement conduite à découvrir les trois *drammi giocosi* de Mozart et Da

Ponte. Elle trouvait, dans la fusion des voix, dans le chant parlé des conversations, dans les lignes mélodiques entrecroisées des duos et des trios, dans les immenses ensembles qui miment les débats d'idées et jusque dans les sombres accords comme celui en *ré* mineur du début et de la fin de *Don Giovanni*, de quoi alimenter sa curiosité et son désir de beauté.

Un jour de ce même été, les deux stagiaires se rencontrèrent par hasard dans la salle de répétitions en attendant leur leçon respective. Mathilde travaillait l'aria de Pamina dans le deuxième acte de *La Flûte enchantée*. Sen-nen, lui, s'exerçait à chanter quelques lieder du cycle des *Amours du poète* de Schumann qui ne le quittait pas, en polissant chaque note comme une perle. Ils se lançaient de temps en temps un regard furtif sans que l'autre ne s'en aperçût. Mais, au bout de quelques instants, leurs regards finirent par se croiser. Tous deux sourirent en même temps. Pendant la pause, le jeune homme osa adresser la parole à la jeune femme : il lui parla de son amour des opéras de Mozart ; il lui dit qu'il avait été naguère impressionné par *La Flûte enchantée* d'Ingmar Bergman, notamment par la scène où Pamina chante l'aria qu'elle était justement en train de travailler. Mathilde avoua qu'elle n'avait pas vu le film, que l'air mozartien était intimidant et qu'elle avait peut-être tort de vouloir le chanter. Elle avait peur d'en abîmer la beauté et la tristesse.

Ils convinrent d'assister réciproquement à la leçon de l'autre. Ainsi le poète et la princesse s'entendirent chanter. Le premier reconnut chez la seconde les accents d'un cœur blessé et fragilisé ; la seconde perçut chez le premier une âme solitaire éprise de liberté et de sincérité. Un ineffable fluide de sympathie circulait de l'un à l'autre.

Dès lors, en dehors des heures de chant, ils passèrent tout leur temps et prirent leurs repas ensemble. Ils partagèrent, à l'écart des autres stagiaires, les promenades vespérales, les longues soirées d'été où la fraîcheur pénétrante des montagnes venait dissiper peu à peu la chaleur immobile du sol. Leurs conversations s'éternisaient alors autour de deux tasses remplies de verveine. Aidée par le climat d'une indicible confiance installée, Mathilde fut amenée à confier à Sen-nen le profond désarroi qui s'était emparé d'elle à la suite de la mort brutale de ses parents. Heureusement qu'elle avait trouvé dans l'écoute et la pratique de la musique une force d'apaisement salvatrice ! Sen-nen, de son côté, parla à Mathilde de sa passion pour le français qu'il s'efforçait de maîtriser, mais aussi pour certains monuments littéraires que cette langue avait produits. Le français était pour lui la langue de l'amitié et de l'épanchement alors que la langue qui se parlait en lui était la langue de la retenue, de la soumission, du respect imposé. L'effort d'appropriation du français était donc un affranchissement, une expérience de la *liberté* qui lui permettait de vivre *autrement* son rapport à l'autre, au monde, de s'arracher au moule de sa langue et des codes culturels qu'elle véhiculait. Le français, concluait-il, était un instrument de musique qu'il voulait faire chanter.

Il y eut des silences bruissant de réflexions intérieures, de mots tus. On entendait au-dehors la stridulation des grillons dans les buissons.

Lorsque la nuit les enveloppait de son épaisse houppelande de silence, ils se disaient au revoir, remplis d'un sentiment de paix et de contentement.

Un soir, au cours d'une conversation qui portait sur leurs leçons quotidiennes et les petits progrès qu'ils croyaient accomplir jour après jour, ils en vinrent à évoquer l'idée de chanter ensemble un duo pas trop difficile. Le professeur leur donna aussitôt son accord, les encouragea même. Que choisir ? Il y en avait des duos célèbres ! Sen-nen avait une voix grave de baryton ; Mathilde était soprane. Il pensa immédiatement au duo de Figaro et de Suzanne au début des *Noces de Figaro.* Mais il leur sembla un peu trop au-dessus de leur capacité de novices. Elle évoqua, de son côté, le merveilleux passage d'une des dernières scènes du même opéra, dans lequel Figaro et Suzanne, après un moment de dispute délibérément provoqué par l'amoureux, font la paix : « *Pace, pace, mio dolce tesoro… (Faisons la paix, mon doux trésor…)* » Le visage de Sen-nen s'illumina. Mais ils durent convenir que ce n'était pas là un duo à proprement parler…

Ils cherchèrent encore. Certains, du répertoire italien, leur parurent franchement inabordables ; d'autres n'étaient pas de leur goût. Finalement, ils tombèrent d'accord sur le duo de Papageno et Pamina dans le premier acte de *La Flûte enchantée.* Ils l'adoraient. Pourquoi n'y avaient-ils pas pensé tout de suite au lieu de tergiverser tout ce temps ?

## 2

À la fin du stage, un concert fut organisé dans une petite église pour donner aux stagiaires l'occasion de se produire sur scène.

Sen-nen et Mathilde voulurent chanter, en plus de leurs morceaux personnels, le duo de Papageno et Pamina, accompagnés au piano par leur professeur. Leur prestation, qu'ils jugeaient eux-mêmes bien supérieure aux multiples essais tentés durant les répétitions, fut longuement ovationnée et, dans l'élan de l'émotion suscitée, ils s'embrassèrent naturellement. Sur les joues de la jeune femme, on percevait une coulée de larmes fines qu'elle s'empressait d'essuyer de ses doigts effilés.

Le lendemain, ce fut le départ. Il faisait beau. On les déposa à la gare de Montpellier, à trois quarts d'heure du village. Le moment de la séparation arrivait. Ils prenaient deux trains différents qui partaient à une heure d'intervalle. Sen-nen allait retrouver sa chambre d'étudiant à Paris, tandis que son amie, car c'était maintenant une amie, s'apprêtait à regagner sa ville natale, avant de repartir en Angleterre, pour passer quelques jours dans la maison inhabitée de ses parents. Ils s'installèrent au buffet de la gare, où il n'y avait que quelques clients. Les minutes passaient, inexorables. Chacun avait des mots sur le bout de la langue, qu'il n'osait prononcer.

On s'écrira ? dit enfin le jeune homme d'une voix imperceptiblement troublée.

Oui, bien sûr, répondit l'autre immédiatement.

On annonça l'entrée en gare du premier train, celui que prenait Mathilde. Machinalement, l'homme passa sa main sur celle de la femme posée sur la petite table ronde. Ils se regardèrent longtemps dans les yeux.

Au revoir, dit l'un.

Au revoir, répondit l'autre.

On s'écrira…

Oui, répondit-elle d'une voix essoufflée comme si elle devait avaler de l'air en prononçant le petit mot « oui ».

Ils se levèrent. Il la prit dans ses bras. Ses mains posées sur le dos de la jeune femme sentirent, à travers le chemisier blanc au col brodé de petites fleurs jaunes, l'agrafe de son soutien-gorge.

Le train s'éloigna tout doucement. Le visage de Mathilde et ses cheveux dansants parurent à Sen-nen d'une beauté éblouissante.

Enfin, le train disparut et le jeune homme resta seul sur le quai.

# 3

Pendant les jours qui suivirent, Sen-nen sombra dans des méditations sans fin. Il imaginait son avenir avec Mathilde. Serait-elle heureuse à Tokyo ? Supporterait-elle l'immensité de la ville, les foules du matin et du soir ? Trouverait-elle un poste d'enseignant quelque part ? Apprendrait-elle le japonais, sans doute d'une redoutable difficulté pour une Européenne ? Se glisserait-elle dans les formes d'une sociabilité si différente ? Autant de questions qui restaient sans réponse. Mathilde, de son côté, était désormais consciente qu'une rencontre rare avait eu lieu. Ils s'écrivirent plusieurs fois. Leurs longues lettres semblaient ouvrir un destin commun.

Huit mois plus tard, un peu avant les vacances de Pâques, Mathilde téléphona à Sen-nen pour l'inviter à passer trois ou quatre jours dans la maison de ses parents disparus. Elle lui dit qu'elle devait revenir dans sa ville pour aller au mariage d'un cousin éloigné ; elle avait envie de profiter de cette occasion pour lui montrer sa ville et la région. Elle le laisserait donc seul une journée entière, mais le reste du temps, ils pourraient faire des choses ensemble. Elle lui présenterait sa grand-mère paternelle très âgée désireuse de faire sa connaissance. Sen-nen accepta avec joie cette proposition.

De Paris à la petite ville du Sud-Ouest dont Mathilde était originaire, le voyage en train dura sept heures. À l'arrivée, Sen-nen retrouva son amie coiffée d'un bonnet jaune, enveloppée dans un manteau rouge. Ils s'embrassèrent comme deux amis heureux de se retrouver.

Je n'ai pas de voiture. On doit marcher une demi-heure. Ça ne t'ennuie pas ?

Non, au contraire. Je n'ai que ce petit sac à dos. Tu vas bien ?

Ils se mirent à marcher côte à côte dans la nuit qui descendait tout doucement en détachant les toits des maisons en ombres chinoises dans le ciel bleuâtre.

## 4

Le lendemain matin, Mathilde fit à son ami les honneurs de la maison. Elle évoqua d'abord ses souvenirs d'enfance liés au salon où ils se trouvaient, baignant dans une lumière éclatante.

C'est ici, à genoux, que nous faisions notre prière quotidienne le soir avant d'aller au lit. Mes parents étaient croyants et pratiquants. J'ai grandi en pensant que la prière du soir était la chose la plus naturelle au monde jusqu'au jour où, en allant à la fac, je me suis rendu compte que ça se passait différemment ailleurs.

J'aurais été très impressionné, répondit Sennen, pour ne pas dire troublé, par la scène de la prière familiale… Je suis un homme sans religion…

Tu n'as pas reçu d'éducation religieuse ?

Non. Pas du tout. Le Japon est sans doute un des rares pays où les grandes religions monothéistes n'ont aucune prise réelle sur les âmes… Il y a eu, avant et pendant la guerre, un phénomène de fanatisme qui relève du shintoïsme d'État en tant qu'idéologie impériale, mais c'est une autre histoire. Mon père abhorrait le fanatisme et l'obscurantisme qui ont conduit son pays à la catastrophe… Cette expérience l'a éloigné définitivement de toute croyance irrationnelle, de tout ce qui est religieux.

Quel aurait été ton étonnement… si tu m'avais vue en train de prier ici, entourée de mes parents ! Mais là, c'est du passé… Le monde de mes parents est révolu.

Oui, mais tu en conserves nécessairement quelque chose. On ne naît pas tout nu, délesté de tout… On arrive tout habillé, avec toutes les couches plus ou moins secrètes de l'histoire familiale et même nationale qu'on porte sur ses épaules comme un gros manteau… Tu portes le tien, moi le mien.

Je t'ai dit au téléphone que ma grand-mère paternelle voudrait te voir… Elle est très malade. Je crois qu'elle n'en a plus pour longtemps… Je lui ai confié que j'avais fait une rencontre exceptionnelle en parlant de toi. Elle s'est imaginé des tas de choses et elle croit qu'il est de son devoir de te dire que certains catéchismes sont meilleurs que d'autres…

Je l'écouterai *religieusement*, si cela peut apaiser son cœur tourmenté…

Puis, Mathilde conduisit son ami dans sa chambre. L'attention de l'invité fut tout de suite captée par un nounours défraîchi posé sur son lit à côté de l'oreiller, et par plusieurs photos, anciennes et récentes, encadrées et soigneusement rangées sur un petit bureau collé au mur à côté de la fenêtre.

Ce sont tes parents ?

Elle répondit avec un simple oui, d'une petite voix. Sen-nen s'apprêtait à sortir de la chambre, lorsqu'il fut frappé par une grande affiche apposée sur la porte.

*Les Noces de Figaro,* festival de Salzbourg 1971, sous la direction de Karl Böhm, lut le visiteur en murmurant. Tu as été à Salzbourg ?

Non, penses-tu ! J'ai trouvé ça aux puces il n'y a pas longtemps. Dix francs ! J'ai sauté sur l'occasion !

Enfin, Mathilde emmena Sen-nen dans une autre chambre tout au fond du couloir, plus petite que la sienne, la plus éloignée de la cuisine et de la salle de séjour. Il y avait un piano droit, de couleur marron foncé.

Ça, c'est mon piano. Kawai, ce n'est pas japonais ?

Si, si. Ça alors, je ne savais pas qu'il y avait des pianos Kawai en Europe ! J'en ai un moi aussi là-bas !

Enfin, Mathilde demanda à Sen-nen si elle pouvait monter avec lui dans la chambre mansardée où il venait de passer sa première nuit.

Euh… je n'ai pas fait le lit…

Ce n'est pas grave, c'est juste pour te montrer quelque chose.

C'était une pièce spacieuse éclairée par la lumière abondante qui entrait à travers deux grandes fenêtres de toit. Deux commodes anciennes, couleur acajou, dotées de poignées et de serrures en fer forgé étaient placées l'une à côté de l'autre contre le mur à colombages. Quelques poteries, tasses et vases essentiellement, étaient posées dessus.

Ces commodes et ces poteries ont été rapportées du Japon par mon arrière-grand-père. Il paraît que c'était un grand voyageur ; il était parti pour Yokohama au début du siècle et c'est de là-bas qu'il a rapporté tout ça…

Ces tasses sont très belles.

Oui. Sauf celle-ci, s'empressa de dire Mathilde en riant. C'est moi qui l'ai faite quand j'étais au lycée !

J'aime bien ces irrégularités, cet aspect d'innocence primitive. Et il y a quelque chose de tout à fait inattendu sur cette tasse… Sais-tu que ce motif décoratif est presque un idéogramme ?

Non ! Je l'ai dessiné comme ça…

C'est un caractère chinois qui veut dire « femme » !

Sans blague ? Alors je faisais de la calligraphie sans le savoir !

## 5

Un homme d'un certain âge vint chercher Mathilde pour l'emmener au mariage de son cousin. Elle était habillée d'une combinaison-pantalon ample blanc cassé. Le haut était fermé devant jusqu'à la taille au moyen d'une fermeture éclair. Elle avait noué autour de ses hanches une ceinture large en velours rouge et portait sur les épaules une cape noire qui descendait jusqu'aux genoux. Ses cheveux étaient relevés en chignon et ornés d'une fleur de camélia rouge. Sen-nen fut troublé par l'impression de beauté calme qu'elle exhalait.

Excuse-moi, je te laisse seul. Tu fais comme chez toi.

Ne t'inquiète pas. Bonne fête de mariage ! Amuse-toi bien !

L'homme au volant était resté silencieux pendant leur échange. Une fois Mathilde installée, il fit rugir le moteur et la voiture disparut dans un nuage de fumée bleuâtre.

Après un déjeuner improvisé avec un œuf et du jambon, Sen-nen fit le tour de la ville. De la halle couverte qui hébergeait un café et ses nombreux clients, il passa dans des ruelles médiévales tortueuses où il sentait se braquer sur lui des regards curieux, ce qui était tout à fait compréhensible dans une petite ville où l'on ne remarquait pas un seul restaurant chinois. Il visita trois églises, où, chaque fois, deux ou trois vieilles dames fortes habillées en noir et agenouillées priaient en silence. Il se demanda pourquoi il y avait tant de lieux de culte dans un périmètre aussi restreint et pourquoi ces lieux étaient maintenant aussi lugubrement désertés.

Au bout de deux heures, il prit le chemin de retour. Il marcha le long d'une rivière, un des motifs des cartes postales vendues dans les bureaux de tabac. Il se rappela naturellement le canal de son enfance qui coulait près de chez lui, dans la banlieue de Tokyo où sa famille s'était installée : il serpentait au milieu de baraques basses, noires, sales, misérables. Enfin, Sen-nen s'engagea dans une rue montante bordée de maisons cossues blanches ou jaunes. Il s'arrêta à mi-hauteur pour contempler le panorama qui s'offrait à ses yeux, en contrebas, dans le silence de l'après-midi finissant.

Le soir venu, il se fit un repas tout aussi simple qu'à midi. Il passa la soirée à lire. Vers minuit, il alla au lit.

Il n'arrivait pas à s'endormir.

Dans le silence absolu de la nuit, il entendait

de temps en temps des craquements de bois qui firent remonter en lui une peur enfantine. Elle ne devrait pas tarder à rentrer. Quelle heure était-il ? Une heure, deux heures du matin ? Il pensa alors à l'homme qui était venu chercher Mathilde et qui ne lui avait même pas adressé la parole ; il pensa aussi à la manière dont il avait fait démarrer la voiture comme si une irrépressible fureur s'était emparée de lui…

De guerre lasse, il finit par avoir recours à une méthode archaïque que sa mère, jadis, en plein milieu d'une nuit d'orage, couchée à côté de son enfant, lui avait apprise pour faire venir le sommeil : il essaya de se représenter un cheval blanc qui s'éloignait au galop dans un champ désert s'étalant à perte de vue ou un faucon qui, en tournoyant, disparaissait peu à peu dans les hauteurs du ciel. Et il comptait mentalement en même temps, espérant tomber vite dans le monde brumeux des songes.

C'est alors qu'il entendit le bruit d'une voiture qui s'arrêtait et celui d'une portière qui se fermait d'un coup sec. Il ouvrit les yeux et les referma, soulagé. Puis il alluma la petite lampe de chevet pour regarder l'heure. Il entendit des pas discrets qui montaient les marches du perron. La porte d'entrée s'ouvrit doucement en grinçant et se referma. Quelques instants après, de nouveau, des pas, lents et feutrés, se firent entendre. Ils se rapprochaient. La porte de la chambre s'ouvrit enfin, doucement et timidement.

Bonsoir…

Bonsoir, Sen. Tu ne dors pas ? J'ai vu la lumière sous la porte…

Non, je n'y arrivais pas… J'ai envie de te dire un mot que tu ne comprendras pas.

Ah oui ? Lequel ?

*Okaerinasaï…* C'est un mot japonais qu'on dit à quelqu'un qui rentre à la maison après une journée de travail, après un voyage plus ou moins long : une expression de salutation convenue comme bonjour ou au revoir, mais qui renvoie à un vrai sentiment de soulagement ou de joie éprouvée lors du retour de quelqu'un à la maison. Tu comprends ?

Comment le traduirais-tu en français ?

*Te voilà bien rentrée enfin, quel bonheur…*

Elle éteignit la lampe. La conversation se poursuivit dans le noir. Seule la lueur provenant d'un réverbère au coin de la rue dessinait vaguement le contour des objets et la silhouette de la jeune femme. Elle s'assit sur le bord du lit.

Tu étais inquiet ?

Tout le champ visuel de l'homme allongé était maintenant occupé par le visage souriant de la femme entouré de cheveux châtains dénoués.

Oui. J'étais mort d'inquiétude. Dans le noir, l'imagination travaille beaucoup, tu sais… Puis l'homme qui est venu te chercher, qui ne m'a pas dit un seul mot et qui n'a même pas souri, m'a inquiété avec sa manière de conduire très agressive… C'est lui qui t'a ramenée ?

Oui, c'est mon oncle Paul. Il est gentil, mais il est comme ça, un peu bourru.

L'homme posa ses mains sur les épaules de la femme. Celle-ci se pencha pour rapprocher son visage du sien. Leurs lèvres se rencontrèrent.

Merci d'être revenue, Mathilde…

Merci de m'avoir attendue, Sen.

D'une main tremblante, Sen-nen ouvrit la fermeture éclair de la combinaison blanche. Son regard s'arrêta sur un petit grain de beauté marron clair juste entre les deux seins arrondis.

C'est pratique, chuchota Mathilde en souriant.

Puis elle couvrit de sa poitrine nue la tête de l'homme couché. Ils restèrent ainsi des minutes entières sans se dire un mot. Sen-nen pleurait en silence comme un enfant.

Ils passèrent le reste de la nuit, serrés l'un contre l'autre, fondus l'un dans l'autre en de tendres étreintes, à parler de leur espoir partagé d'un avenir commun.

Ce serait dommage de ne pas essayer de faire le chemin ensemble, dit la femme.

… Accepterais-tu de t'embarquer avec moi, même si ça risque de t'emmener très loin ? demanda l'homme.

… Oui, répondit-elle après un instant de silence. Je ne veux pas regretter plus tard de ne pas m'être décidée à temps. On ne vit qu'une fois. Tu me fais sentir l'importance de ce moment et des moments à venir.

La conversation se poursuivit. La nuit commença à se retirer. L'aube blanchissait peu à peu le monde. Ils sombrèrent enfin dans un doux sommeil.

Lorsque la clarté du jour les réveilla, Mathilde était blottie dans les bras de Sen-nen. Leurs mains ne s'étaient pas quittées. Ils ne perdraient pas, par la suite, l'habitude de s'endormir la main dans la main comme deux enfants qui se protègent mutuellement contre la menace de la nuit.

## 6

Sen-nen rentra au Japon après un séjour de plusieurs années en France.

Il prépara l'arrivée de Mathilde, qui, de son côté, se prépara matériellement et psychologiquement à s'envoler vers l'inconnu en attendant que son ami lui donnât le signal du départ. Elle recevait tous les jours dans sa boîte aux lettres une lettre en provenance de Tokyo. Mais, un matin, elle trouva sa boîte vide. Et celle-ci resta vide plusieurs jours de suite. Elle s'inquiéta ; et elle se décida, après un long moment d'hésitation, à téléphoner à Sen-nen. Surpris et ravi d'entendre la voix de Mathilde à dix mille kilomètres de Tokyo, il la rassura en lui assurant qu'il lui écrivait tous les soirs.

Le lendemain, Mathilde reçut d'un coup cinq aérogrammes fourmillant de minuscules lettres soigneusement tracées.

Deux mois après, elle le rejoignit. Sen-nen la présenta à sa famille qui l'accepta de grand cœur.

Ils s'installèrent à Tokyo dans un quartier

central, près d'une longue avenue toute droite bordée de cerisiers centenaires.

Ils se marièrent. La procédure civile au consulat de France et à la mairie de Tokyo ne fut suivie d'aucune cérémonie. Après un dîner intime qu'ils s'offrirent dans un restaurant étoilé, ils chantèrent chez eux, comme lors du concert final du stage, le duo de Papageno et Pamina en s'aidant du disque d'Otto Klemperer, et tout le passage, au quatrième acte des *Noces de Figaro*, qui marque le retour de la paix entre Figaro et Suzanne : « *Pace, pace, mio dolce tesoro...* », le passage qu'ils n'avaient pas chanté au concert. Ce fut un événement solennel qu'ils créèrent seuls à l'écart de la société, loin de toutes les propositions vénales de l'industrie matrimoniale. Une gigantesque houle d'émotion et de tendresse s'empara d'eux. Ils s'embrassèrent sans mot dire.

Ils obtinrent, à force de patience, chacun un emploi qui leur permit de se libérer du souci du quotidien.

Mathilde s'accoutuma peu à peu à la vie dans un pays qu'elle ignorait. Sen-nen fit tout ce qu'il était en mesure de faire pour favoriser l'acclimatation de son épouse. L'étrangère, de son côté, s'efforça de percer le mystère des significations multiples des idéogrammes et des phrases qui lui paraissaient soumises, au-delà de la grammaire, à des règles particulières propres à chaque situation d'énonciation. Elle souffrait de la lenteur des progrès qu'elle enregistrait. C'est alors qu'un jour elle découvrit, à l'entrée d'un vaste temple bouddhique, deux divinités gardiennes qui se dressaient sur leurs jambes musclées et se montraient menaçantes, les yeux écarquillés, les oreilles décollées, la bouche ouverte, le front plissé, barrant d'une main ouverte le chemin conduisant au sanctuaire principal. Elle crut voir là comme une interdiction et se persuada que ce n'était pas la peine d'essayer d'aller plus loin sur le chemin de la découverte du Japon sans être escortée par son mari.

Le français fut la langue qui fondait et resserrait les relations entre les deux êtres qui, venant de deux horizons on ne peut plus éloignés, s'étonnaient de la puissance du hasard ayant favorisé leur rencontre miraculeuse. Ils prirent une habitude qu'ils conservèrent longtemps, celle de pratiquer ensemble la lecture à haute voix en français. La télévision, avec ses programmes débilitants, n'entra pas chez eux. Leur minuscule appartement se transforma alors en salon de lecture ; ils passaient parfois des heures entières en compagnie de personnages surgissant des pages déployées.

Ils eurent une fille, Émilie, qu'ils élevèrent avec le souci qu'elle pût cultiver une passion personnelle, tout en la protégeant du mieux qu'ils pouvaient contre le Roi des aulnes. Ils avaient toujours présents à l'esprit le poème de Goethe et la musique que Schubert composa sur ses mots. La société mercantile et consumériste était peuplée de voleurs d'enfants. Sen-nen et Mathilde se dirent qu'ils feraient en sorte que l'éducation qu'ils donneraient à Émilie la protégeât des pouvoirs tyranniques de la société. Elle ne se trouverait pas morte au terme de son voyage à cheval avec son père !

Émilie grandit. Issue d'un couple mixte, elle évolua naturellement entre plusieurs langues au cours de sa scolarité. À vingt ans, elle pratiquait le français, le japonais, l'anglais, l'italien, l'allemand, l'arabe et le turc ; et en voyant les camarades de son entourage tout à la fois nourris par le culte de leur étroite identité ethnique et par la consommation des produits issus de l'industrie culturelle mondiale, elle comprit que rien n'était plus absurde que de s'accrocher à une identité de hasard et à l'adoration béate des idoles préfabriquées par le marketing. Pleinement engagée dans une vie professionnelle itinérante, Émilie finit par s'établir dans une ville d'Amérique que, sans elle, ses parents n'auraient sans doute pas eu le courage ni le désir de visiter.

Les années passèrent. Mathilde, malgré sa situation d'étrangère qui la faisait considérer comme une éternelle invitée, put néanmoins s'épanouir sur le plan professionnel comme professeur de français aussi bien que dans le tissage de liens sociaux avec autrui. Quant à Sen-nen, il se passionna pour son travail d'enseignant. Il assura des cours de français dans plusieurs établissements durant de nombreuses années. Il enseigna aussi la littérature, celle du XVIII<sup>e</sup> siècle surtout. L'évolution politique et sociale du Japon, en passe de redevenir une société autoritaire et coercitive, les incita à prendre une retraite anticipée en même temps. L'air liberticide de son pays était devenu irrespirable pour Sen-nen. Ils jugèrent qu'avec leurs pensions respectives, en y ajoutant le petit loyer qu'il leur serait possible de tirer de leur appartement de Tokyo, ils pourraient mener une vie modeste et honnête. Sen-nen n'avait plus ses parents depuis longtemps. Seul lui restait son grand frère qu'il considérait naturellement comme l'unique port d'attache de son pays.

Enfin, ils décidèrent avec une certaine amertume de quitter le pays où ils avaient passé de belles et nombreuses années. Ils l'annoncèrent à Émilie, qui ne s'en étonna pas. Elle les approuva, au contraire. La citoyenneté n'était-elle pas une affaire de choix et de volonté ? Émilie, qui, depuis longtemps, avait fait sienne l'idée saïdienne d'*out of place*, ne s'accrochait nullement à son lieu de naissance, à son pays d'origine où elle avait fait l'essentiel de sa scolarité.

Sen-nen saisit l'occasion du grand déménagement pour se débarrasser de beaucoup de choses qui s'étaient accumulées au fil des ans et qui lui paraissaient désormais inutiles. Il voulait se borner à l'essentiel, se dépouiller des objets superflus. De sa bibliothèque, Sen-nen ne conserva que quelques grands auteurs vers lesquels il revenait sans cesse avec plaisir : Montaigne, Rousseau, Diderot, Stendhal, Balzac, Flaubert, Proust et Kundera… pour le français ; pour le japonais, en plus de quelques grands noms de la période classique, des écrivains de la modernité comme

Natsume Sôseki, Nagaï Kafû et certains penseurs de l'après-guerre tels que Masao Maruyama et Katô Shûichi. Quant au reste, il s'agissait de livres qu'il avait toujours voulu lire, mais qu'il avait laissés de côté à cause de l'urgence de son travail d'enseignant-chercheur. En un mot, il s'était départi de sa bibliothèque de professeur pour s'en constituer une autre, celle d'amateur de littérature et de musique, car il y avait également dans les cartons à expédier en France beaucoup de CD et d'opéras en DVD.

Avant de s'envoler vers l'Europe, Sen-nen et Mathilde s'offrirent, un après-midi, l'occasion d'imprimer une fois pour toutes dans leur esprit quelques images qu'ils aimaient. Ils allèrent faire une promenade du côté du plateau de la Brume Matinale au pied du mont Fuji. Ils laissèrent leur Civic au bord d'une route de campagne et prirent un sentier qui ondulait comme une rivière au milieu d'un pré. Blanca, encore jeune, sautant de joie, courait dans tous les sens, dessinait de grands cercles avant de revenir auprès du couple. Ils arrivèrent sur un monticule d'où ils pouvaient apercevoir au-delà des broussailles la montagne sacrée dont le sommet était déjà couvert de neige. Ils pique-niquèrent au pied d'un majestueux cerisier isolé qui déployait des branches noires à moitié dépouillées de leurs feuilles. Quand ils revinrent à la voiture, le mont Fuji se découpait en ombre chinoise dans un ciel embrasé.

De retour à la maison, Sen-nen transféra dans son ordinateur toutes les photos de la journée d'excursion sur le plateau de la Brume Matinale. Parmi elles, il en était une prise avec le retardateur qui montrait Blanca de dos, aux côtés de Sen-nen et Mathilde regardant l'appareil et serrés l'un contre l'autre pour se protéger du froid. La chienne admirait seule la parfaite beauté conique de la montagne.

Le lendemain matin, au lever, Sen-nen sortit un vieux cahier bleu cartonné qu'il utilisait depuis très longtemps pour y déposer pensées et réflexions. Il écrivit deux lignes : « Nous avons fait l'amour. Cela ne nous était pas arrivé depuis un moment… Je me suis demandé jusqu'à quand je pourrai jouir avec Mathilde… »

Ils prirent l'avion pour l'Europe un jour d'automne avancé où les érables commençaient à perdre leurs feuilles aux couleurs flamboyantes.

Blanca ne put voyager en cabine. La loi ne l'y autorisait pas et elle dut subir douze heures de solitude, de froid, de vacarme continuel. Lorsqu'elle retrouva Sen-nen et Mathilde à l'aéroport, elle était brisée de fatigue.

# 7

Le message électronique reçu de cette amie revenue de loin troubla le cours ordinaire et tranquille de la vie de Sen-nen. Le passé, lointain, enfoui, surgissait brutalement. Des souvenirs remontaient d'une région obscure, inactive de sa conscience. Son cœur, subitement, trembla. Il eut honte de ce tremblement soudain et incontrôlé. Il eut honte aussi de l'irruption d'un désir, celui d'aller à l'Opéra seul en laissant sa femme affaiblie sur son lit de malade. Il n'en fit pas cependant un secret. Il eut le courage de lui confier, tout en s'abstenant de lui parler du message qu'il avait reçu, son souhait de s'éloigner d'elle le temps d'une représentation d'opéra. Elle lui répondit avec douceur que rien ne lui ferait plus de plaisir que de le savoir dans la joie d'entendre et voir *Les Noces de Figaro,* d'autant que cette œuvre avait été un des bonheurs partagés de leur vie. Je veux que tu y ailles. Tu me raconteras la soirée. Blanca me tient compagnie, tu le sais bien. Le visage de Mathilde exprimait une sorte de paix intérieure. Sen-nen crut, cependant, apercevoir de minuscules frissons sur ses lèvres pâles marquées par endroits de petites cicatrices brunâtres à force de gerçures.

Blanca, en effet, était comme l'ombre de Mathilde. Elle était âgée de sept ans et quelques mois et, déjà, avait tout autour des yeux des poils blancs qui donnaient l'impression qu'elle portait des lunettes. Depuis que la santé de Mathilde s'était fragilisée et que la femme souffrante était obligée de garder le lit souvent et de se reposer longtemps, la chienne au pelage blanc et laineux, mis à part le temps des deux promenades quotidiennes, passait l'essentiel de sa journée auprès de la malade, tantôt couchée, tantôt assise. Il lui arrivait de lancer un regard inquiet à Mathilde, posant délicatement sa patte ou son museau sur l'édredon douillet, ou léchant la main que la grabataire laissait ballante pendant les moments fugitifs de somnolence. Elle était devenue pour ainsi dire l'infirmière exclusive et privilégiée de Mathilde.

La malade dormait. Elle avait laissé la moitié du repas simple que son mari avait préparé plus tôt que d'habitude. Blanca, en la fixant d'un air sérieux, se tenait assise sur son séant. Sen-nen entra dans la chambre sur la pointe des pieds. La chienne, immédiatement, se retourna. Il ouvrit délicatement l'armoire pour prendre une cravate. Il choisit la plus belle, la marron moiré d'Issey Miyake que sa femme lui avait offerte pour son anniversaire une dizaine d'années auparavant. Il se pencha vers Blanca et lui chuchota au creux de l'oreille :

Tu veilleras bien sur elle.

Blanca lui lécha la joue en manière de réponse.

Bonne soirée, mon chéri.

Elle était allongée sur le côté et gardait les yeux fermés. Sa bouche, fermement cousue, dessinait un arc bien tendu. On aurait dit qu'elle empêchait et supportait la brusque montée d'une douleur aiguë.

Merci, répondit-il à voix basse.

Il sortit et laissa la porte entrouverte. Blanca ne le quittait pas du regard, d'un regard triste et sombre qui faisait penser à celui du chien dans *La Mort de Procris* de Piero di Cosimo.

## 8

Le soleil de novembre déclinait. Une lumière douce empreinte de rougeur crépusculaire pénétrait à travers les immenses fenêtres du grand foyer de l'opéra Garnier.

Sen-nen était arrivé tôt. Il n'aimait pas se presser, surtout depuis qu'une douleur lombaire l'avait immobilisé pendant des semaines. Elle ne l'avait pas tout à fait quitté et l'obligeait à être prudent lorsqu'il montait les escaliers, se baissait pour lacer ses chaussures… Un peu courbé, il marchait comme quelqu'un de nettement plus âgé. Il arrivait toujours en avance, d'une demi-heure au moins, pour un rendez-vous ou pour un spectacle auquel il tenait. Dans le hall, quelques silhouettes d'hommes et de femmes déambulaient en attendant l'ouverture de la salle. Trente ans auparavant, il avait assisté dans ce même théâtre à une représentation des *Noces*, dans la même mise en scène, devenue légendaire parmi les amoureux de l'art lyrique. Une véritable folie l'avait saisi, happé : il était allé au palais Garnier successivement plus d'une dizaine de fois pour assister au même spectacle. Dès la première soirée, toutes ses préoccupations et tous ses soucis d'avenir avaient été mis en suspens. Une seule idée l'avait habité, celle de retourner à l'Opéra pour se replonger dans la même délectation. La peur d'épuiser ses maigres économies d'étudiant ne l'avait pas effleuré. C'était au mois de décembre à l'approche des fêtes de fin d'année. Il était hors de question de rentrer au Japon voir sa famille. Le voyage en avion était trop coûteux. Voyager en France ou aller dans des pays voisins ne le tentait pas. Il préféra rester à Paris et assister à toutes les représentations des *Noces de Figaro*. Plongé dans la dynamique entraînante de la musique, il s'était laissé enivrer par la manière dont Mozart parvenait à donner à chaque personnage une existence musicale propre. Mais la fascination, car c'était une vraie fascination, était venue d'une cantatrice éblouissante, celle qui incarnait Suzanne. Au son de sa voix, à la vue de ses évolutions sur scène, une fièvre presque douloureuse avait pris possession de son âme.

Trente ans après, il allait donc revoir le spectacle qui l'avait envoûté, réentendre la musique qui l'avait émerveillé, retrouver les mêmes personnages vêtus de la même façon et évoluant dans le même décor. Et, surtout, il allait revoir la personne qui l'avait ensorcelé…

Le regard de Sen-nen explorait le hall encombré de l'Opéra à la recherche de la femme attendue. Il se souvenait de sa démarche légère, féline et glissante, de sa manière délicate de se poser dans le monde. Comment était-elle aujourd'hui ? Aurait-elle des cheveux lisses, mi-longs, comme autrefois ? Aurait-elle une écharpe ample autour des épaules ? Porterait-elle un foulard ? Quelques coups de gong appelèrent les spectateurs à gagner leur siège. Il attendit encore une longue minute sous la porte des Cariatides. Il restait immobile, les yeux tournés vers l'entrée. Dans le hall et partout ailleurs, la foule se raréfiait, aspirée par les portes. Il alla se procurer le programme *in extremis* et il se dirigea précipitamment vers la salle dont s'élevait un brouhaha. Il fit se lever plusieurs personnes de sa rangée et s'installa enfin dans son fauteuil un peu raide. Il regarda autour de lui. Quelques couples, d'un air satisfait, continuaient à bavarder, tandis que d'autres, solitaires, étaient plongés dans la lecture du programme. Il ouvrit le sien à son tour. Il y avait une photo du chef d'orchestre, celle du metteur en scène décédé aussi, à côté de laquelle était placée, plus petite, celle de la femme qui avait dirigé la réactualisation du spectacle. Il tourna une page et tomba sur une grande photo en noir et blanc de celle qui allait chanter Suzanne… Une jeune femme brune aux cheveux courts, rayonnant d'un sourire mystérieux. Ses yeux bordés de cils noirs recourbés regardaient vers le haut. Elle portait un pull moulant qui faisait ressortir les lignes de sa poitrine. Une voix de femme descendit alors du plafond pour annoncer que le spectacle allait commencer et qu'il fallait donc éteindre les téléphones portables. Les lumières baissèrent, le silence tomba, plein d'impatience. Dans la fosse d'orchestre faiblement éclairée apparut une silhouette d'homme qui se fraya un chemin parmi les musiciens. Un spot éclaira le visage du chef d'orchestre, qui salua sous un tonnerre d'applaudissements. Était-elle là ? Était-elle assise quelque part, tendait-elle l'oreille comme lui dans l'expectative des premières mesures ? Quatre croches suivies d'une noire jouées *pianissimo* et *presto* par les cordes et les bassons, puis une enfilade accélérée de croches jusqu'à l'apparition des hautbois et des cors : c'était comme un petit rongeur qui, tenté par la lumière du matin ensoleillé, s'active et sort de son terrier. C'était le début d'une folle journée… Plus vite, plus vite… Le chef gesticulait, entraînant l'orchestre dans une course furibonde. Sen-nen ferma les yeux et s'abandonna à une sensation grisante. Les souvenirs remontaient des profondeurs de sa mémoire.

# II. *CLÉMENCE I*

# 1

Sen-nen était ébloui, inondé d'une sensation inconnue. Comment la musique arrivait-elle à façonner avec une force empathique aussi pénétrante le cœur et l'émotion de chaque personnage ? C'était une expérience tout à fait nouvelle pour lui. Il écoutait souvent des opéras sur disques, mais jamais son attention n'avait été maintenue d'une manière aussi ininterrompue ; jamais son oreille n'avait été saisie avec autant de force que ce soir-là.

Il avait treize ou quatorze ans lorsque le chant lyrique avait empoigné son cœur tremblant devant la beauté des filles. Dans son corps d'adolescent, l'adulte cherchait à naître non pas à travers la parole mais à travers le chant. Sa passion pour la voix n'avait en rien diminué par la suite. Mais, jusqu'à ce jour-là, il n'avait jamais eu l'occasion ni surtout les moyens de pénétrer dans le monde d'élection d'un opéra, réservé à des gens, il faut bien le reconnaître, huppés et connaisseurs – ou prétendant l'être. Pour lui, le spectacle lyrique avait été jusqu'alors comme une soirée dansante dans un somptueux château. Il ne savait pas danser ; il croyait ne pas savoir se conduire selon les règles du lieu. L'écoute d'un opéra n'avait donc jamais été autre chose qu'une plongée dans la solitude protégée de sa chambre exiguë. Or, cette fois, Sen-nen avait osé s'offrir une bonne place d'amphithéâtre et se faufiler dans l'imposant et intimidant palais Garnier.

Le spectacle terminé, les chanteurs saluèrent le public les uns après les autres sous une avalanche d'applaudissements. Suzanne, revenue sur scène en dernier, provoqua une ovation particulièrement enthousiaste. Puis, tous les chanteurs, la main dans la main, s'avancèrent vers le public et s'inclinèrent profondément. Enfin, Suzanne alla chercher le chef d'orchestre. Dès que celui-ci fit son apparition, les applaudissements redoublèrent d'intensité. Il s'approcha des musiciens debout dans la fosse. Il les remercia en ouvrant et écartant les bras comme s'il embrassait fraternellement tout l'orchestre. Puis, il rejoignit le groupe des chanteurs pour s'y fondre ; et tous, en se tenant par la main, répondirent une dernière fois aux cris d'allégresse et aux acclamations frénétiques du public.

Sen-nen, malgré toute cette agitation, restait immergé dans le monde irréel de la fiction dramatique. Le jeune homme demeura un long moment prostré dans son fauteuil, les yeux miclos.

D'un coup, il se leva, comme réveillé en sursaut. La fosse d'orchestre était vide, la grande salle silencieuse comme une cathédrale. Les derniers spectateurs s'apprêtaient à sortir. Il les suivit et arriva dans le hall presque désert. Un employé du théâtre, à la barbe et aux cheveux argentés, d'une cinquantaine d'années, impeccablement vêtu d'un costume noir, se tenait debout, immobile, près de l'entrée principale. Son regard croisa celui de Sen-nen l'espace d'une seconde.

Il fit quelques pas, comme un égaré, sur le parvis de l'Opéra. Sous la lumière dorée des réverbères des spectateurs s'attardaient. Il avait chaud malgré le vent d'hiver glacial. Il finit cependant par enfiler son manteau et courut pour attraper un bus qui passait. Pendant le trajet qui dura environ une demi-heure, il somnola. Dans sa tête continuait à résonner la musique de Mozart.

## 2

Le lendemain matin très tôt, Sen-nen retourna à l'Opéra. Il attendit l'ouverture du guichet sur le parvis avec quelques autres matinaux. L'effort et la patience du lève-tôt furent récompensés. Il réussit à se procurer un des derniers billets. C'était un fauteuil d'orchestre un peu décentré qui coûtait beaucoup plus cher que la place d'amphithéâtre de la veille, mais il n'hésita pas. Il se dit qu'il se priverait plutôt de ce qui lui paraissait désormais inessentiel comparé à la possibilité d'assister à une représentation des *Noces*.

Il était dans une impatience telle qu'il avait de la peine à la maîtriser. Il entreprenait une chose pour l'abandonner aussitôt. Il ne pouvait se concentrer sur rien. Rien ne pouvait capter son attention durablement.

Le soir venu, il arriva trop tôt et dut attendre une vingtaine de minutes avant que les portes ne s'ouvrent enfin. Il se précipita dans la salle et s'installa à sa place, qui était à l'extrême gauche du troisième rang d'orchestre, non loin de la scène. La salle était encore déserte. Il alla aux toilettes et revint. Il attendit plus d'une demi-heure durant laquelle se remplit peu à peu le grand espace, en forme d'éventail, sous le plafond circulaire de Chagall.

Enfin les lumières baissèrent.

Quand l'orchestre commença à jouer la *Sinfonia*, il fut étonné de la proximité réelle et un peu sauvage des sons produits par les cordes. On eût dit que les petites impuretés sonores liées à la friction des archets contre les cordes n'avaient pas le temps de se neutraliser avant de parvenir jusqu'à son oreille. Quand la tension musicale montait avec les notes en *fortissimo* jouées par tous les instruments, il entendait même, à sa grande surprise, les grognements étouffés du chef d'orchestre.

L'ouverture exécutée dans une allégresse jubilatoire s'acheva comme la course effrénée d'un fauve qui prend fin dans un brutal épuisement d'énergie. Le chef ne laissa pas aux spectateurs le temps de souffler ni d'applaudir ; il enchaîna immédiatement sur le duo du couple central comme s'il tenait à éviter que le discours musical se brisât par un arrêt arbitraire. Le rideau se leva. Alors, enfin, Suzanne fit son apparition. De sa place au troisième rang, Sen-nen la voyait infiniment mieux que la veille. La lumière qui pénétrait par les fenêtres près du plafond n'éclairait obliquement que la moitié droite de la scène. Assise dans le grand fauteuil placé au milieu de la scène, dans la zone pas encore exposée à la clarté du jour naissant, Suzanne essayait son chapeau orné de fleurs en se regardant dans un miroir à main. Sen-nen fut saisi par on ne sait quelle grâce qui s'exhalait de toute la personne de Suzanne. Figaro, comme calfeutré dans l'ombre à l'extrémité gauche, chantait en mesurant méticuleusement les dimensions de la pièce à l'aide d'une longue règle, mais toute l'attention du spectateur novice était captée par Suzanne qui attendait son tour, le moment de son entrée dans la musique. Elle souriait, pourtant sa poitrine se soulevait à un rythme accéléré comme si elle venait de fournir un effort physique considérable. De minuscules gouttes de sueur brillaient sur son front dégagé par une coiffure relevée en chignon.

C'était une jeune femme de taille moyenne, svelte, avec un air de douceur exquise. Elle avait un visage d'une régularité parfaite. Quand on la voyait de profil, la courbe allant du front au menton en passant par le nez faisait penser à la beauté classique d'une sculpture antique. Dès l'instant où elle commença à chanter ses premières mesures, disant à son fiancé en train de se concentrer sur la prise de mesure (« *cinque, dieci, venti, trenta, trentasei, quarantatre...* ») : « *Regarde un peu, mon cher Figaro, regarde donc mon chapeau* », Sen-nen fut subjugué. La beauté cristalline et élastique de sa voix, émanant de son corps de ballerine, dominait la scène. Elle empreignait l'espace scénique de sa présence irradiante, tout à la fois vocale et physique. Elle arrivait à faire croire, par les ondulations sonores et les balancements rythmiques dont elle ornait la ligne mélodique, que le monde porté par une cameriste paysanne pouvait tout à coup s'élever à une hauteur impressionnante.

Sen-nen fut ainsi conquis par l'élégance allègre avec laquelle Suzanne congédia Marceline, gouvernante du château et complice de Bartholo ; il fut émerveillé par la manière dont elle repoussa tout ensemble Almaviva et Basile après son évanouissement provoqué par la colère du Comte au sujet de Chérubin, le séducteur de la Comtesse, blotti dans le fauteuil sous une robe de chambre discrètement posée par Suzanne elle-même ; il fut enthousiasmé, dans l'immense finale du deuxième acte, par sa voix perlée qui se dressait comme un jet d'eau argentée.

L'entracte d'une demi-heure entre les deuxième et troisième actes lui parut interminablement long. Il resta à sa place pour s'abandonner aux impressions visuelles et auditives du monde des *Noces* qui continuaient à l'habiter. Il préférait demeurer dans le décor du XVIIIe siècle finissant qui s'offrait à ses oreilles et à ses yeux dans la grande salle du palais Garnier et restituait à merveille, le temps d'une soirée, le petit monde du château d'Aguas Frescas.

Les gens regagnaient leur place. Sen-nen ne détachait pas les yeux des pages du programme qu'il parcourait sans les lire. Un homme d'une soixantaine d'années avec une barbe courte, de forte corpulence, portant un nœud papillon, passait devant lui avec une femme qu'on avait toute raison de supposer être son épouse. L'homme dit : « Elle est mignonne, Suzanne. Elle chante très bien en plus… » Ces mots ramenèrent brutalement Sen-nen à la platitude de la réalité. Il dévisagea l'homme qui les avait débités et qui en débitait d'autres à sa femme, en train de se regarder, quant à elle, dans un petit miroir pour vérifier son maquillage. Il détourna son regard. Il était impatient de voir la grande salle s'assombrir et les spectateurs s'engloutir dans sa profonde obscurité.

Le troisième acte comportait plusieurs scènes que Sen-nen chérissait tout particulièrement. Et il fut enchanté comme la veille. Il admira Suzanne dans son duo avec Almaviva, qui montrait toute sa supériorité dans la connaissance du cœur et du corps. Le sextuor, qui célèbre la formation simultanée de deux couples en mettant au jour le mystère de la naissance de Figaro, le transporta : il se réjouit, là encore, que la voix transparente de Suzanne se hissât, s'envolât dans le ciel des accords musicaux, nettement au-dessus des autres, comme pour indiquer sa place centrale dans l'univers des *Noces*. Il fut émerveillé aussi par la scène de la dictée, unissant Suzanne à la Comtesse dans la composition d'un billet d'invitation à adresser au seigneur libertin. Il se rendit compte que les deux femmes socialement et culturellement éloignées l'une de l'autre étaient réellement traitées sur un plan d'égalité et que le sublime jeu d'écho entre les deux voix était, entre autres, le dispositif destiné à rendre sensible l'effacement des différences de rang. Il fut ainsi ébahi par la manière mozartienne de faire connaître à la cameriste, en l'espace de quelques minutes, une ascension sociale fulgurante. La Comtesse en perruque, un peu forte quoique belle, lui paraissait ridicule à côté de sa servante resplendissante dans la gracilité de son corps aussi bien que dans sa simplicité vestimentaire.

Enfin, la nuit du quatrième acte tomba. Les lamentations de Barberine cherchant l'épingle perdue étaient déchirantes de beauté mélancolique. Sen-nen avait toujours senti, dans cet air d'une tristesse retenue chanté par une adolescente, la *perte* irrémédiable de quelque chose de beaucoup plus important qu'une épingle. On ne pouvait pas être aussi profondément chagriné à cause d'un dérisoire accessoire de couture. Peut-être Barberine venait-elle tout juste de quitter l'enfance. Mais le moment que Sen-nen attendait avec la plus grande impatience était celui de l'aria de Suzanne : « *Deh, vieni, non tardar, o gioia bella…* (*Oh, viens, ne tarde plus, ô mon amour*) ». C'était pour Sen-nen un des sommets de l'œuvre, une sorte de point de fuite vers lequel convergeait la dynamique musicale et dramaturgique de l'opéra tout entier. La jeune femme svelte chanta admirablement cette musique d'une tendresse à fleur de peau qui soulignait l'imminence de la félicité conjugale. La sérénité profonde et l'intimité amoureuse que l'artiste réussissait à insuffler dans cet air d'une simplicité déconcertante semblaient augmenter encore davantage sa beauté discrète et sa douceur enivrante. On eût dit qu'elle était vraiment amoureuse de son fiancé. Lorsqu'elle chanta, en s'agenouillant, les derniers vers « *Viens, mon aimé, caché dans le feuillage, je veux couronner ton front de roses* » infiniment plus lentement que n'importe quelle autre Suzanne, Sen-nen sentit un frisson lui traverser le dos et sillonner la peau de son visage. Une bouffée de chaleur l'envahissait de toute part.

Sen-nen, seul dans la foule, se surprit en train d'ovationner les artistes alignés sur le devant de la scène. Celle qui avait incarné Suzanne était au milieu, portant la robe de la Comtesse. Elle s'inclina pour saisir un grand bouquet de fleurs lancé on ne sait d'où. En se relevant, elle se pencha légèrement vers le bouquet, le respira un quart de seconde. Un merveilleux sourire s'esquissa sur son visage. Puis elle ramassa un deuxième bouquet qu'elle donna à la Comtesse habillée en paysanne. Enfin, avant de saluer une nouvelle fois, elle coucha délicatement le grand bouquet sur son bras gauche comme si elle essayait d'apaiser et d'endormir un bébé agité.

Il sortit de la salle. Il avait le cœur oppressé d'une étrange manière, trop plein d'une émotion vive. C'était presque une douleur, persistante. Dans un autre contexte, il se serait sans doute inquiété en se demandant si ce n'était pas là le symptôme d'un problème cardiaque. Le brouhaha disparut derrière son dos. L'homme à la barbe et aux cheveux argentés qu'il avait vu la veille était là, au même endroit, à côté de la porte d'entrée centrale, dans la même posture. Sen-nen lui dit spontanément : « Bonsoir. » L'employé de l'Opéra, en lui lançant un regard oblique, lui répondit : « Bonsoir, monsieur. »

Quand il rentra chez lui, il était minuit passé. Il ôta sa veste. Il avala d'un trait un grand verre d'eau. Il s'assit sur le bord de son lit étroit. La nuit s'enfonçait dans le silence gelé. Il resta ainsi songeur une bonne dizaine de minutes. Puis il se leva et s'installa à son bureau. Il ouvrit un cahier bleu dans lequel il tenait son journal avec une régularité qui dépendait de son humeur et des aléas du quotidien. Il griffonna plusieurs lignes.

# 3

Il y eut trois jours de relâche. Le quatrième jour, il retourna à l'Opéra. Il réussit à avoir une place au troisième rang d'orchestre, à peu près dans la même zone que la fois précédente. Il en fut de même pour les jours suivants. Il était désormais bien décidé à assister à *toutes* les représentations. Il compta celles qui restaient. Il éprouva un petit serrement de cœur en pensant que les occasions de voir et entendre *Les Noces* allaient s'amenuiser chaque jour comme une peau de chagrin, serrement de cœur semblable à celui que, petit, il avait connu pour les pages non lues d'un livre captivant diminuant de jour en jour. Par ailleurs, sa situation de spectateur d'une assiduité absolue lui rappela un livre qu'il avait lu plusieurs années auparavant : c'était l'histoire d'un homme richissime qui finit par se ruiner en s'acharnant à suivre dans le monde entier toutes les apparitions d'une *prima donna* dont il était devenu éperdument amoureux. Lui aussi, à sa manière, il allait vider sa bourse.

Sous le charme de la grâce enchanteresse de Suzanne, il lui prit l'envie d'écrire à la jeune cantatrice. Sen-nen venait d'assister à la quatrième représentation des *Noces de Figaro*. Est-ce qu'elle lirait sa lettre égarée parmi toutes celles qu'elle recevait ?

La nuit s'épaississait.

Quelque chose comme une boule de chaleur œuvrait dans son for intérieur, le poussait à formuler des idées, à articuler sa pensée. Il sortit, comme il le faisait chaque fois qu'il avait à écrire une vraie lettre, le stylo-plume que son père lui avait offert pour marquer sa première année d'études supérieures. Il ouvrit ensuite son cahier bleu. Il commença à écrire… Les mots venaient, les phrases se construisaient. Il n'avait qu'à feuilleter les images successives de Suzanne qui s'étaient posées sur l'écran de son cinéma intérieur. On n'entendait que le bruit de la plume qui grattait la page éclairée par la lueur orange de la petite lampe de bureau. Il s'arrêtait de temps à autre pour vérifier le sens d'un mot ou la construction grammaticale qu'il requérait. Il ne se séparait jamais de son *Petit Robert* pour écrire. Bientôt les ratures se multipliaient. Les ajouts aussi. Il insérait des mots entre des mots, des phrases entre des phrases, parfois même tout un paragraphe entre deux paragraphes. Le brouillon de la lettre était devenu à la fin comme un manuscrit d'écrivain saturé de biffures et d'inscrtions plus ou moins longues.

Quand il eut fini la lettre, la nuit commençait à bleuir. Il s'effondra de sommeil.

Au réveil, il remarqua que son pyjama était complètement mouillé de transpiration. Il avait chaud. Il ouvrit la fenêtre. L'air froid et sec de décembre entra et lui caressa le front.

Il prit une douche tiède.

Il s'assit sur sa chaise.

Enfin, il mit au propre le brouillon sur une feuille A4.

# 4

Les artistes continuaient à saluer le public enflammé. Sen-nen se leva et passa péniblement, en répétant excusez-moi et pardon, entre les dos de fauteuil et les jambes des gens toujours assis et occupés à applaudir de toutes leurs forces. Lorsqu'il arriva dans le hall désert, aucun employé de l'Opéra ne s'était encore posté près de la porte d'entrée centrale. Il voulait s'adresser à l'homme à la barbe et aux cheveux argentés. Il attendit. Des spectateurs pressés commençaient à sortir. Chaque fois que s'ouvrait une porte de la salle en haut du grand escalier, des acclamations frénétiques s'échappaient brusquement. Au bout de quelques minutes, l'homme qu'il cherchait apparut enfin on ne sait d'où et se planta au même endroit comme les jours précédents. Il vit le jeune homme venir vers lui.

Bonsoir, monsieur.

Bonsoir. Vous venez tous les soirs, si je comprends bien ! dit l'employé sur un ton débonnaire.

Oui… c'est vrai. Je suis fasciné par ce spectacle. Dites, monsieur, je voudrais vous demander un service. Pourriez-vous donner cette enveloppe à la jeune artiste qui chante le rôle de Suzanne ?

Ah, mademoiselle Clémence S. ! Oh, je vous comprends. Elle est sensationnelle !

Est-ce possible ?

Oui, vous pouvez compter sur moi. Je la lui donnerai tout à l'heure.

Merci, monsieur.

Sen-nen fouillait maladroitement dans son petit sac en bandoulière.

Non, jeune homme, pas nécessaire. Allez, au revoir. À la prochaine, peut-être !

Un grand sourire fendait son visage barbu.

Oui, bien sûr, avec plaisir !… Merci, monsieur !

# 5

*Jeudi 19 décembre 19…*

*À l'attention de Mademoiselle Clémence S.*

*Je confie cette lettre à un employé de l'Opéra. J'espère qu'elle vous parviendra. Depuis la première des* Noces de Figaro *le 11 décembre dernier, je viens vous écouter tous les soirs. Et je serai là, je vous le promets, à toutes les représentations que vous donnerez jusqu'à la fin du mois.*

*J'ai trente et un ans ; je viens de l'autre bout du monde. Je suis encore étudiant. Je prépare une thèse de doctorat dans un domaine qui n'est pas sans liens avec ce miracle de fusion de la musique et de la parole que sont* Les Noces de Figaro. *Mais pourquoi vous écrire ? Eh bien, parce que grâce à cette représentation des* Noces *et grâce surtout à votre art de recréer le personnage de Suzanne à qui vous donnez une présence si forte, une vitalité si impressionnante, je crois pouvoir accéder à l'une des plus hautes réalisations de l'esprit créateur.*

*Ma première écoute des* Noces *remonte au temps de mon adolescence. J'avais été impressionné par la diversité des voix qui s'affrontent en s'harmonisant, s'harmonisent en s'affrontant. Depuis lors, je suis habité par cette œuvre. J'appartiens à un milieu modeste qui vit loin de l'art lyrique. Je ne m'étais donc jamais imaginé parmi les gens distingués qui fréquentent l'Opéra, jusqu'au jour où j'ai vu par hasard la belle affiche de cette série de représentations qui vous montre en train de faire semblant d'accepter les avances d'Almaviva au début du troisième acte. C'est une photographie merveilleuse. Elle me révélait, dans l'instant, toute l'intelligence et toute la sensualité de Suzanne. Je me suis alors juré de braver ma timidité pour oser me mêler aux habitués de l'Opéra.*

*La première du 11 décembre fut un enchantement. Vous m'avez transporté dans un état de félicité durable que je n'avais jamais connu.*

*Quand le rideau se lève, je ne peux pas m'empêcher de penser à l'étonnement des spectateurs du* XVIII^e^ *siècle face à la manière dont le valet de chambre du Comte et la camériste de la Comtesse s'imposent dès les premiers instants, mais aussi face à la prééminence accordée à Suzanne dans son rapport à son fiancé. Figaro mesure les dimensions de la pièce pour savoir comment il pourrait y placer le lit conjugal, tandis que Suzanne finit tout juste de confectionner un « beau petit chapeau plein de charme » qu'elle mettra lors de la cérémonie nuptiale. Les deux êtres subalternes, exclus de l'espace politique en raison même de leur statut, s'emparent ainsi de celui de la scène.*

*Figaro explique à Suzanne la commodité de la*

*chambre qu'Almaviva lui destine et il ne comprend pas pourquoi elle ne l'apprécie pas autant que lui. En fait, elle saisit beaucoup mieux que son fiancé la situation dans laquelle se trouve le couple face au grand d'Espagne. Le texte suggère la supériorité de la femme sur l'homme. Mais c'est la musique et, surtout, votre chant qui me la font comprendre et m'en persuadent. Votre merveilleux phrasé, par exemple, autour des expressions onomatopéiques « Ding, ding ! » et « Dong, dong ! » indique une hauteur de vue, une compréhension inégalable de la situation !*

*La musique met en valeur la force qui émane du corps de Suzanne. À cet égard, il y a une scène au premier acte qui me fascine. Là encore, c'est votre voix et vos gestes qu'elle accompagne qui m'ont permis d'en saisir la signification. Quand, au début du* Terzetto, *Almaviva se montre furieux au sujet de Chérubin, Suzanne s'évanouit. Vous êtes alors prise dans les bras des deux hommes, le Comte séducteur à votre gauche et le religieux dévergondé à votre droite. Excellent détail de la mise en scène qui montre l'imbrication du politique et du religieux !*

*Mais ce que j'aime plus que tout autre détail, c'est votre évanouissement. Alors que des mains baladeuses en profitent pour se poser sur votre poitrine, vous reprenez conscience et vous tournez le dos au public pour affronter les deux hommes. Vous leur criez : « Quelle insolence ! Sortez ! » C'est là sans nul doute un des plus beaux exemples du cri en musique. Vous vous tenez debout, les pieds écartés ; vous ouvrez grand vos bras comme pour repousser l'avancée des deux puissances malfaisantes. C'est extraordinaire ! La perte de connaissance prend ici la valeur d'une mort symbolique qui n'est rien d'autre qu'une incitation à une vie nouvelle, différente. Suzanne naît ou renaît à elle-même. De jeune paysanne insouciante, elle devient une femme décidée à prendre en main son avenir. Qui résisterait à une telle métamorphose ?*

*J'ai peur que ma lettre, déjà trop longue, vous harasse. J'aurais aimé vous parler du charme fou que vous dégagez dans le duo qui oppose Suzanne à Marceline. Elle triomphe de cette vieille gouvernante en trois minutes à peine. La robe noire de Marceline, un peu comme celle d'une religieuse, ne fait qu'accentuer votre jeunesse resplendissante.*

*Les réservations sont closes. Je tente ma chance le matin de chaque représentation. Je me lève tôt ; j'arrive au palais Garnier quand la nuit commence à se dissiper. Quelqu'un me donne un numéro pour attendre mon tour. Heureusement, il reste des places, toujours à l'extrémité gauche ou droite. Je tiens à être dans les premiers rangs pour le plaisir de l'ouïe bien sûr, mais aussi pour celui de la vue — afin d'apprécier davantage votre aérienne présence qui illumine la scène. Merci de m'avoir lu jusqu'à la fin.*

*Cordialement à vous.*

*Sen-nen Y.*

# 6

Sen-nen eut une place au troisième rang d'orchestre, pas tout à fait à l'extrémité gauche, mais presque. C'était l'avant-veille de Noël. Il se vit entouré d'hommes et de femmes fort bien habillés qui lui semblaient être sortis d'un monde lointain et inconnu. Il ne se sentait pas à son aise, à l'instar d'un compositeur roturier du XVIIIe siècle au milieu de gens excessivement parés au théâtre de Fontainebleau. Il lut quelques pages du *libretto*, mais il ne pouvait pas se concentrer sur ce qu'il lisait. Il ferma les yeux et attendit que la salle s'obscurcît.

Lorsque le rideau se leva pour le deuxième acte, Sen-nen se tint aux aguets. Il attendait avec inquiétude la scène du déshabillage-habillage de Chérubin. Car, la veille, il avait cru apercevoir l'espace d'un éclair dans le regard de Clémence S. comme un égarement, un relâchement de tension accompagné d'un léger tremblement de voix. Comment cela allait-il se passer ? Le page se mettait à genoux. Suzanne, tout en lui dictant le maintien à respecter qui lui permettrait de se faire passer pour une fille, louait le charme affriolant de la beauté de l'adolescent androgyne. C'était à ce moment-là qu'elle avait dirigé son regard absent vers la salle obscure… C'est lorsque son regard s'était perdu, une fraction de seconde, dans la pénombre de la salle qu'il avait cru capter le trouble, un vacillement soudain et bref dans la fluidité vocale.

Ce soir-là, finalement, Sen-nen ne remarqua rien de tel : toute la sensualité de la musique était impeccablement traduite par la voix frémissante de Clémence S. qui sortait de son corps avec une aisance surprenante.

Une vraie surprise, cependant, attendait Sennen à la fin du deuxième acte. Les principaux personnages de la comédie, réunis à l'occasion du septuor qui clôt l'immense finale, se positionnaient de façon que les spectateurs pussent distinguer deux groupes antagonistes, Basile, Bartholo, Marceline et Almaviva d'un côté, Figaro, Suzanne et Rosine de l'autre. Le premier groupe se campait sur l'avant-scène droite, tandis que le second sur le côté opposé ; si bien qu'à un moment donné le jeune spectateur assidu voyait Suzanne juste à quelques mètres en face de lui. Elle chantait en se blottissant contre Figaro ; elle couvait une colère indignée, sourde, retenue, mais grandissante à chaque instant, à l'égard de Marceline du camp adverse. Celle-ci, en effet, brandissait la promesse de mariage selon laquelle Figaro devait se résigner à l'épouser en cas de non-remboursement du prêt qu'elle lui avait jadis accordé. Depuis le troisième rang d'orchestre, Sen-nen voyait Suzanne en contre-plongée. Jusque-là, les choses s'étaient déroulées comme au cours des autres soirées. La musique du finale, qui passe graduellement du duo au trio, du trio au quatuor, du quatuor au quintette, et enfin du quintette au septuor, était pour lui un de ces moments musicaux qui vous donnent le vertige. À chaque écoute, même sur disque, il se sentait emporté et transporté par une sorte d'ouragan polyphonique où les voix, dans leur diversité foisonnante, semblaient déverser sur lui d'inépuisables forces de renouvellement.

Se tenant droit comme un cierge dans son fauteuil, Sen-nen fixait les yeux sur Suzanne. Dans l'obscurité générale de la salle, seuls les premiers rangs étaient légèrement éclairés par la clarté de la scène aussi bien que par la lueur venant de la fosse d'orchestre qui hébergeait une multiplicité de lampes de pupitre. On voyait distinctement la tête des gens placés dans cette zone. Il y avait autant d'hommes que de femmes, plutôt âgés. Certains regardaient vers la droite de la scène, d'autres vers la gauche. D'autres, ensommeillés, baissaient la tête. Quelques-uns semblaient prêter attention non pas aux chanteurs, mais plutôt aux gestes exaltés du chef d'orchestre. Au milieu de ces spectateurs, Sen-nen détonnait par son air juvénile, par sa tenue d'une simplicité estudiantine, par sa posture singulièrement verticale qui faisait penser à un bonze, moine bouddhiste du

Japon médiéval, en train de méditer nuitamment.

Il scrutait les mouvements de Suzanne, lorsque celle-ci ébaucha une longue phrase semblable à une comète perçant la voûte céleste de la nuit profonde, une phrase claire, limpide qui la singularisait en détachant nettement ses notes en chaîne de l'immense masse sonore qui atteignait, à la fin du processus de la multiplication progressive des voix, le sommet de la tension musicale et dramaturgique. Il crut, à ce moment précis, que le regard de Clémence S., deux ou trois secondes à peine, croisait le sien : elle ne regardait pas Figaro, ni Marceline, sa rivale redoutable et redoutée, ni aucun des personnages présents sur scène, ni, étrangement, le chef d'orchestre qui dirigeait avec ardeur l'ensemble des chanteurs et des instrumentistes. S'absentant de la scène, elle lança au jeune homme assidu un regard certes furtif et fuyant, mais suffisamment significatif pour que le spectateur le jugeât complice. Il fut pétrifié.

Rentré chez lui, il s'allongea sur son lit. Il était exténué. On eût dit que son corps raidi contenait en lui des blocs de pierre. Il regarda longtemps les ombres vacillantes du plafond par endroits fissuré, puis il ferma les yeux. Au fond de son oreille résonnait encore la musique du finale du deuxième acte. Il ne résista pas à l'envie d'écrire une deuxième lettre à Clémence S.

# 7

*Lundi 23 décembre 19…*

*À l'attention de Mademoiselle Clémence S.*

*J'ai peur de vous importuner, mais je prends la plume. Je ne sais si vous avez pu lire ma lettre du 19 décembre confiée à un employé de l'Opéra.*

*Aujourd'hui, c'était donc ma huitième soirée à l'Opéra pour voir et entendre* Les Noces. *J'ai lu, il n'y a pas très longtemps, dans une revue de musique une interview de Fischer-Dieskau qui disait que s'il ne fallait retenir que deux opéras pour les emporter sur une île déserte, il choisirait* Les Noces *et* Falstaff. *Ce fut pour moi une agréable surprise de savoir qu'un grand musicien pouvait avoir un avis identique à celui d'un simple mélomane. Oui, la musique de Mozart telle que je l'entends dans* Les Noces, *telle qu'elle se révèle dans la création du personnage de Suzanne, telle que vous la chantez pour donner vie à la jeune camériste, cette musique-là, moi aussi, je l'emporterais jusqu'au bout du monde !*

*Aujourd'hui, je suis rentré chez moi tout retourné, plus que d'habitude. Vous en devinez peut-être la raison…*

*Miracle : c'est le mot qui sied à l'immense finale du deuxième acte. Je voudrais vous entretenir de ce miracle…, de ce que j'ai vu et entendu ce soir…*

*Au cours du deuxième acte, les conflits entre le groupe de Figaro-Suzanne et celui du Comte se radicalisent. Ils se focalisent d'abord sur trois personnages essentiels : Almaviva et son épouse secondée par Suzanne. Mais, peu à peu, le nombre de personnages sur scène augmente pour aboutir à un septuor. Le grossissement graduel du volume vocal et sonore va créer une extraordinaire tension musicale en scindant les personnages en deux camps antagonistes. Toutes les oppositions antérieures se résolvent en une seule vers laquelle court l'immense finale de 949 mesures.*

*Qu'est-ce qui me fascine dans ce gigantesque tourbillon de notes ?*

*C'est d'abord et avant tout la révélation ou, mieux, la confirmation, par la musique, de la place centrale occupée par Suzanne dans la configuration générale des personnages. Elle est au centre ! Ou plutôt au sommet, elle qui est normalement au plus bas de la hiérarchie sociale ! Il y a vers la fin du septuor une phrase ascendante-descendante que vous chantez et qui vous distingue des autres. Quand j'entends cette petite phrase, cette ritournelle impressionnante par sa fluidité aussi bien que par sa fugacité, je finis par être persuadé de toute l'importance que Mozart a accordée au personnage de Suzanne. Ces quelques notes qui s'envolent et s'élèvent très haut dans la stratosphère du septuor !*

*C'est comme une fusée lumineuse lancée vers la lune et qui perce toute l'épaisseur des nuages amoncelés. Elles suscitent une apparition. Comme celle, soudaine et éphémère, de la passante baudelairienne avec sa jambe de statue ! Je ne lis pas bien la musique, je ne suis pas de ceux qui suivent la musique sur la partition. Mais quand il s'agit d'une œuvre qui me tient vraiment à cœur, je me plais à accompagner la démarche du compositeur à l'aide de la partition. Et quand, ce soir et hier soir, je vous ai entendue chanter cette ritournelle si suavement, j'ai cru voir devant moi les notes qui s'enchaînent… comme dans* L'Homme qui en savait trop *d'Hitchcock.*

Son___ con - fu - - - sa, son___ stor - di - - - ta, di -
- spe - ra - - - - ta sba - lor - di - - - - ta,

*Puis, il y a cette unité d'ensemble qui se réalise malgré l'extrême diversité des voix et des sentiments qu'elles expriment. Je ne sais pas ce que vous éprouvez, vous qui êtes dans ce tourbillon. J'ai du mal à imaginer ce qui se passe, quand il y a tant de voix, tant de notes, tant d'instruments qui se mettent à jouer ensemble. Qu'est-ce que vous faites exactement ? Vous prêtez l'oreille aux autres voix tout en écoutant la vôtre ? Je me demande depuis toujours comment s'opère cet ensemble parfait, pourtant exposé perpétuellement à la menace d'un déséquilibre. Comment se réalise cette masse sonore d'une puissance presque étouffante qui concilie l'unité et la*

*diversité ? Comment se préserve ce frémissement du divers dans l'élaboration d'une totalité homogène ? Cette question me taraude. Et l'émerveillement qui est à l'origine de cette question est porté à son comble quand j'écoute précisément le finale du deuxième acte des* Noces. *Comment une telle réussite a-t-elle pu se réaliser ?*

*Je suis tenté de penser que la musique mozartienne telle qu'elle éclate dans ce finale témoigne d'un état de civilisation où s'affirme, au-delà du rituel des hiérarchies, l'aspiration à la discussion permanente entre les gens. Pour moi qui viens d'un monde toujours fortement hiérarchisé, la pluralité des thèmes et des voix qui se développent dans le discours musical m'apparaît comme l'indice révélateur d'un foisonnement de paroles libres. On oublie parfois que Mozart était un homme des Lumières. Il l'était surtout, je crois, par son souci de prêter une attention scrupuleuse à chacune des voix, jusqu'à celle d'une camériste. C'est votre chant, cette merveilleuse phrase que vous murmurez dans le ciel dégagé du septuor comme le trait de pinceau fulgurant d'un peintre moine, qui m'a permis de me rendre compte de la « politique » de Mozart, si j'ose dire…*

*Je me souviendrai longtemps du deuxième acte de ce soir.*

*Mais s'il reste inoubliable, je m'empresse de le dire, c'est aussi à cause d'une troublante expérience à laquelle vous m'avez convié peut-être sans le savoir : en plein milieu de cette merveilleuse petite phrase, votre regard a croisé le mien l'espace d'un éclair. N'est-ce pas vrai ? J'ai cru y percevoir votre présence à moi, une attention spécialement dirigée vers moi. Où étiez-vous à l'instant précis où vous traciez ce magnifique trait de musique dans le grandiose paysage sonore du septuor final ?*

*Je vous remercie de votre art qui me réconforte, qui me transporte hors de ma communauté native.*

*Cordialement à vous.*

*Sen-nen Y.*

« C'est un peu fou, ce que j'écris », se dit-il après avoir relu plusieurs fois les lignes qu'il venait de rédiger. Ne s'adressait-il pas à une authentique musicienne ? N'était-il pas prétentieux de sa part de lui dire des choses pareilles ? Prendrait-elle au sérieux sa lettre ou la jetterait-elle, au contraire, à la poubelle après en avoir lu le premier paragraphe, le considérant comme un fan excentrique, excessif, voire un peu dérangé ?

Il y avait cette fois deux jours de relâche. Le 24 et le 25 décembre, il n'y avait pas de représentation, ça se comprenait. Il ne retournerait donc au palais Garnier que le 26. Pouvait-il attendre jusque-là pour donner la lettre au gentil monsieur ? Sen-nen décida d'envoyer la lettre par la poste.

Il mit au propre son brouillon. Trois feuilles A4 furent vite remplies de mots d'une écriture fine et régulière. Il les plia en quatre et les glissa dans une enveloppe en *washi* épais parsemé de fibres brillantes ; il la cacheta au moyen d'un petit autocollant représentant un tigre stylisé, l'animal de l'année dans le calendrier sino-japonais. Il écrivit sur l'enveloppe : « À l'attention de Mademoiselle S. » et, au-dessous, l'adresse du palais Garnier. Et il alla tout de suite à la grande poste du boulevard du Montparnasse. Il tourna, comme un loup dans sa cage, devant la boîte aux lettres dressée sur le trottoir, qui, étrangement, lui faisait penser à une statue de *jizo*, divinité protectrice des voyageurs. Enfin, il plaça son enveloppe sur le bord de la fente et la garda quelques secondes dans cette position. Quelqu'un était venu entre-temps se mettre derrière son dos, désireux d'expédier le courrier qu'il tenait à la main. Sen-nen lâcha la lettre. Elle tomba en faisant un bruit sec au fond de la boîte.

# ENTRACTE

La salve d'applaudissements finie, l'homme âgé se lève et se rend dans le grand hall. Ébloui par la lumière, il met ses lunettes noires qu'il sort de la poche intérieure de sa veste. Il avance d'un pas lent et lourd, tandis que la résonance des voix et de l'orchestre qu'il vient d'entendre envahit tout son esprit. Il est ébranlé comme autrefois, lorsqu'il allait régulièrement au palais Garnier, animé et poussé par la puissance irrésistible de la musique, mais aussi par le désir et l'espérance d'une rencontre. Des images lui reviennent des vieux albums depuis longtemps fermés et rangés sur l'étagère la plus reculée de la bibliothèque de ses souvenirs. Les sons d'autrefois réveillés brusquement par ceux d'aujourd'hui se mettent à vibrer et le secouent violemment.

Il monte le grand escalier et passe devant le buffet dressé dans l'avant-foyer. Déjà, beaucoup sont là pour se procurer un rafraîchissement. Comme si la musique surchauffait les corps et les esprits soumis d'habitude à la monotonie refroidissante de la vie routinière. Il se dirige vers les toilettes qui grouillent de monde.

Quand il en sort, il aperçoit et croit reconnaître, parmi les visages qui viennent vers lui comme des vagues déferlantes, celui de la personne qui l'a contacté par email pour lui annoncer la reprise de cette fameuse mise en scène des *Noces de Figaro* que, sans cette voix soudainement surgie du passé, il aurait certainement ignorée et manquée. Dans le message qu'elle lui a envoyé, elle disait :

De : Clémence S.
À : Sen-nen Y.
Objet : Silence de 29 ans

Bonjour, je ne sais pas si vous vous souvenez de moi… Oui, vous devez vous souvenir de moi. Nous nous sommes connus à l'Opéra de Paris il y a tout juste vingt-neuf ans. Je chantais la Suzanne des *Noces de Figaro* dans une mise en scène de SP devenue célèbre depuis lors. C'était au tout début de ma courte carrière. Vous étiez encore étudiant. Vous aimiez passionnément la musique… et vous avez poussé votre passion jusqu'à venir m'écouter presque tous les soirs ! Vous m'avez écrit plusieurs lettres. Je les ai toutes conservées. Nous avons même fini par nous rencontrer dans un bistrot près de l'Opéra… Trois décennies se sont écoulées depuis. J'ai trouvé votre adresse email sur votre site personnel qui me semble ne plus être actualisé depuis assez longtemps. Je ne sais si elle est toujours valable. Je tente ma chance. J'espère que vous allez bien et que ce message vous parviendra.

Ma carrière de chanteuse lyrique a été courte. Je me suis mariée quelques années après notre rencontre. Ma vie de femme mariée et de mère m'a progressivement écartée de la scène. Je la croyais pourtant conciliable avec les exigences de l'art. Eh bien non, dans mon cas, je n'ai pas réussi. Mais maintenant que les enfants sont grands et que je suis divorcée, j'ai retrouvé mes anciennes amours, si j'ose dire : je ne chante pas, mais je travaille comme assistante de production *free lance* surtout dans le domaine de l'art lyrique. C'est à ce titre que j'ai travaillé, en association avec l'Opéra, pour cette remarquable mise en scène qui occupe, comme vous pouvez vous en douter, une place toute spéciale dans mon cœur.

Je serai au palais Garnier lors de la première. Si on pouvait se voir, ce serait magnifique !

Bien à vous.

Clémence S.

Une femme d'âge mûr, svelte, cheveux courts châtains, portant une paire de lunettes fines, habillée d'un tailleur-pantalon marron foncé comme jadis, avec une grande écharpe orange pâle autour du cou, avance d'un pas décidé. Elle sourit. Leurs regards se rencontrent et se retrouvent dans un tremblement commun. Elle s'arrête net devant lui.

Sen…

Clémence…

Dans la voix cristalline et veloutée de la femme qu'il entend, Sen-nen reconnaît parfaitement celle de la cantatrice d'autrefois qui, brutalement déterrée, abandonne son état momifié pour redevenir vivante. Il ôte ses lunettes noires et murmure le prénom de la femme enfoui au fond des souvenirs feuilletés les plus lointains. Après deux ou trois secondes d'hésitation, ils s'embrassent et restent longtemps immobiles dans une étreinte lourde de trente ans d'absence et d'éloignement. Les yeux de Clémence sont fermés ; ceux de Sen-nen ouverts, mais un peu égarés. Ils ne se voient pas. Tous deux se laissent empoigner et emporter par quelque chose d'énorme qui n'a pas de nom.

Ils se regardent dans les yeux. Ils parlent en même temps. Leurs voix se superposent.

Tu vas bien ?

Sourire gêné de part et d'autre.

Oui, oui, et toi ?

Ça va, ça va, comme tu le vois, la vie continue… Enfin, je vais bien. Toi aussi, tu as l'air en forme. Tu veux qu'on aille chercher un rafraîchissement ?

Oui, si tu veux. C'est formidable de se retrouver !… Tu ne crois pas ?

Sen-nen et Clémence se dirigent vers le buffet. Ils prennent tous deux une coupe de champagne. Ils trinquent en silence.

Je t'ai tutoyée spontanément, mais je ne crois pas qu'on était passés au tutoiement…

Ça ne fait rien, je t'ai tutoyé moi aussi… C'est normal, ça fait presque trente ans qu'on se connaît, si j'ose dire…

Ça fait trente ans, en effet… depuis notre

première rencontre qui fut aussi la dernière... dit Sen-nen, un sourire désenchanté aux lèvres.

Ils marchent lentement, comme poussés par le flot de spectateurs en mouvement, vers le grand foyer. Ils arrivent près d'une de ces grandes fenêtres qui donnent sur la loggia, à travers lesquelles on aperçoit la majestueuse avenue de l'Opéra, toute droite, bordée d'immeubles en pierre de taille, avec, çà et là, des géraniums aux fenêtres. Clémence, ajustant ses pas à ceux de l'homme, s'étonne en son for intérieur que celui-ci paraisse plus âgé qu'elle ne l'avait imaginé.

J'avoue que j'ai été troublé par ton message... Un pavé dans la mare, quoi. Un événement qui a la force de briser la monotonie paisible des jours qui se ressemblent...

Tu aurais préféré que je ne te contacte pas ?

Certainement pas. Tu as frappé à la porte ; j'ai ouvert, c'est tout. Mais c'était violent... c'est le moins qu'on puisse dire... Ton message inattendu m'a replongé dans le passé, dans un passé rangé et même fossilisé. J'ai fait retour, à mon corps défendant, à un moment de mon existence où une autre vie que celle qui est devenue la mienne s'était profilée à l'horizon... Mais tu disais dans ton email que ta carrière de chanteuse lyrique avait été courte ?

Oui, ça a duré un peu moins de dix ans... Je ne suis pas allée jusqu'au bout, ça c'est sûr...

Tu n'as pas pu continuer à cause de...

Je me suis mariée... Comment te dire ? J'ai épousé quelqu'un qui ne s'intéressait pas trop à la musique… Mon mari, enfin ce n'est plus mon mari… mon ex est un homme d'affaires. C'est quelqu'un de très cultivé, très aimable, très charmeur… J'ai succombé… Mais la musique, ce n'était pas son truc, loin de là. Il était même presque indifférent à ce que je faisais… Puis les enfants sont arrivés… tu vois ?

Tu es donc divorcée…

Oui.

Autour du bar de l'avant-foyer s'agglutinent toujours les spectateurs assoiffés. Au grand foyer, les fauteuils style Empire adossés aux murs lambrissés de boiseries dorées sont tous occupés. L'espace somptueux est désormais rempli d'hommes et de femmes formant une foule désordonnée semblable à celle d'une gare du RER aux heures d'affluence. Ceux qui se dressent comme des piquets, souverainement indifférents aux deux personnes qui se revoient ce soir après un silence de vingt-neuf ans, parlent à tue-tête, craignant de ne pas se faire entendre dans le brouhaha général.

Tu ne veux pas qu'on retourne dans la salle ? J'ai du mal à supporter tout ce bruit… Ce sera plus calme à l'intérieur…

Tu as raison. Tu es bien placé ?

Ils descendent le grand escalier pour passer sous la porte des Cariatides. Clémence ouvre la porte d'accès aux places d'orchestre. Sen-nen la suit. Ils empruntent l'allée centrale de la salle où quelques solitaires, çà et là, attendent la reprise du spectacle.

Oui, enfin, je m'y suis pris trop tard. Je suis au

parterre, mais assez loin de la scène, côté droit, là-bas…

Sen-nen pointe du doigt la zone où il doit retrouver sa place tout à l'heure.

Moi, je suis au *troisième* rang d'orchestre… J'ai été idiote de ne pas penser à te proposer un billet. Tu veux qu'on s'installe un moment à ma place ?

Oui, pourquoi pas ?…

Pendant le quart d'heure qui reste avant le début de la seconde partie du spectacle, ils reprennent leur conversation interrompue. Sen-nen est assis là où il se trouvait tous les soirs il y a vingt-neuf ans. Des questions sont esquissées… Les réponses sont amorcées. Les mots se multiplient pour que certains des événements vécus par l'un soient partagés par l'autre. Sen-nen et Clémence, assis côte à côte, sont cependant comme deux enfants qui s'appellent sur les deux rives séparées par un immémorial fleuve comme le Yang-Tsé-Kiang, le fleuve Bleu. Leurs voix se perdent dans les airs. Comment franchir ce fleuve de temps ? Clémence se demande si elle va reprendre le fil de son récit et parler de sa carrière prématurément abandonnée au profit d'une vie de famille rangée, de son expérience douloureuse de la maternité, de ses enfants qui sont maintenant des jeunes gens, de la constellation d'activités artistiques dans laquelle elle évolue désormais, modestement… Sen-nen, de son côté, se sent perdu dans la multiplicité des scènes qui forment la matière de sa vie après leur rencontre au palais Garnier vingt-neuf ans auparavant. Il lui semble que le passé est un continent noir, opaque, informe, irreprésentable. Il ne sait par quel bout il faut le prendre. Le parfum s'exhalant de Clémence flotte, se répand, le parfum connu, celui-là même qui l'enivra autrefois.

Clémence, est-ce que je peux te demander quelque chose ?

En prononçant son prénom pour la deuxième fois, Sen-nen sent une brûlure monter du fond de ses entrailles comme si la paroi intérieure de son estomac se mettait à saigner...

Oui, qu'est-ce que c'est ?

...

Qu'est-ce que c'est ?

...

Qu'est-ce qui se passe ? Dis !

...

Vas-y, Sen. Pourquoi tu hésites ? Qu'est-ce qui te retient ?

Pourrais-tu ôter tes lunettes ?

Un doux et délicieux sourire fleurit sur le visage de Clémence. Elle dit d'une voix fluette :

Je m'attendais à tout sauf à celle-là ! Tu es drôle ! Mais pas longtemps, hein, car je ne vois pas grand-chose sans ça !

Clémence enlève ses lunettes à monture fine en titane. Sen-nen regarde le visage régulier légèrement fardé de son amie d'autrefois. Elle doit approcher de la soixantaine, mais les yeux gris-vert ornés de cils noirs fournis et recourbés apparaissent devant Sen-nen dans un éclat de jeunesse hors du temps, capable de redonner les frissons qui, jadis, lui traversèrent l'épine dorsale.

Alors, tu vois que beaucoup d'eau a coulé sous les ponts…

Tu ne portais pas de lunettes quand je t'ai rencontrée…

Je suis comme la Cunégonde que Candide retrouve à la fin de ses pérégrinations… Je ne suis plus ce que j'étais…

Clémence rit de bon cœur.

Sen-nen relève la tête qu'il avait gardée baissée, ne pouvant pas soutenir le regard absorbant de Clémence.

Nous ne sommes plus ce que nous étions… Nous ne sommes plus les mêmes… Pourtant, nous sommes nous-mêmes… rien d'autre que nous-mêmes…

C'est vrai.

Tu connais certainement *Vertigo* de Hitchcock ? La troublante histoire de James Stewart et de Kim Novak…

Le gong résonne. Trois coups successifs répétés trois fois avec deux pauses relativement longues. Les deux horloges digitales de part et d'autre de la fosse d'orchestre indiquent qu'il reste cinq minutes avant la reprise du spectacle.

Bon, je vais retourner à ma place.

Oui, je l'ai vu… il y a longtemps. James Stewart qui est chargé d'enquêter sur Kim Novak et qui tombe amoureux d'elle… Mais, en même temps, si je me souviens bien, c'est l'histoire d'un meurtre qu'on commet en profitant de l'acrophobie de James Stewart…

Sen-nen, déjà debout, lance à Clémence, en se retournant, un regard sombre et lui dit simplement :

À tout à l'heure.

Oui, on se retrouve dans le hall !

Il a à peine entendu la dernière phrase de Clémence qui s'évanouissait dans le bourdonnement sourd et confus des paroles des autres.

Il s'installe dans son fauteuil. Les lumières de la salle baissent aussitôt.

Silence.

Le chef d'orchestre apparaît dans la fosse ; il avance parmi les instrumentistes ; il monte sur le podium. Il demande aux musiciens de se lever pour saluer le public. Il leur tourne le dos. Le projecteur lui éclaire le visage. Une tempête d'applaudissements s'élève. Le maestro s'incline, puis relève la tête pour saluer les spectateurs. Il embrasse du regard toute la salle jusqu'au paradis. Enfin, il se retourne, dit quelque chose au premier violon.

Un silence de cathédrale.

Le rideau se lève sans bruit.

Le Comte est assis dans un grand fauteuil placé devant un bureau Louis XVI.

Le clavecin commence à jouer le *recitativo secco* sur lequel Almaviva déroule son monologue plein de doutes et de colère renfermée…

# III. *CLÉMENCE II*

# 1

Sen-nen se leva tard le lendemain. Il avait la gorge sèche. Il but une rasade d'eau fraîche. Puis il alluma la radio en se faisant un café instantané. On donnait des extraits du *Messie* de Haendel. Des voix de femmes, discrètes, retenues, presque timides, disaient : « *For unto us a child is born, unto us a son is given, unto us...* » C'était la veille de Noël. Il n'aimait pas Noël ni en France ni *a fortiori* dans son pays où la fête religieuse venue d'ailleurs n'était que le prétexte à une surproduction absurde et insensée de marchandises suivie d'une consommation massive tout aussi absurde et insensée.

Sen-nen fouilla dans son sac pour sortir le programme du spectacle acheté lors de la première soirée. Il ouvrit la page où Clémence S. était présentée aux côtés des autres artistes. Le petit texte de présentation disait simplement que, découverte par un grand chef italien que Sen-nen connaissait à travers quelques enregistrements, elle était l'une des révélations récentes et qu'elle faisait ses débuts cette année-là au palais Garnier... Il se demanda s'il existait des disques de la jeune cantatrice. Il élevait désormais sa merveilleuse Suzanne à une hauteur comparable à celle d'Edith Mathis, qu'il admirait depuis qu'il l'avait entendue dans l'enregistrement des *Noces* réalisé par Karl Böhm. Il se dit que l'industrie culturelle n'hésiterait certainement pas à tirer profit de son art consommé, avantageusement étayé par sa beauté.

Il décida de sortir. Il voulait voir s'il trouverait des disques signés Clémence S. De toute façon, il avait besoin de faire des courses pour un dîner de Noël improvisé auquel il avait convié quelques amis. Il s'en occuperait sur le chemin du retour. Il enfila son manteau vert en loden.

Il habitait rue Pierre-Nicole dans le cinquième arrondissement. En sortant de son immeuble, il balança entre les deux directions opposées : celle du quartier Montparnasse ou celle du quartier Latin où il connaissait un petit magasin de disques bien approvisionné. Il opta pour le trajet le plus court, celui qu'il prenait souvent pour aller aux cours, aux séminaires, à la bibliothèque. Il rejoignit, en passant par de petites rues calmes, la rue Gay-Lussac, qui menait au jardin du Luxembourg. La luminosité presque printanière, qui l'éblouissait et l'enveloppait d'une couche de tiédeur, l'incita à ôter son manteau. Il sentit alors la caresse et le tremblement frémissant de l'air parfumé qui semblait à ses yeux mi-clos contenir une infinité étincelante d'infimes joyaux.

Le quartier Latin pullulait d'étudiants et de touristes comme à n'importe quel moment de l'année. Il descendit lentement le boulevard Saint-Michel et s'engagea, après avoir traversé la place de la Sorbonne, dans une petite rue parallèle au boulevard. C'est là que se trouvait le magasin appelé Fidelio où il aimait aller et faisait quelquefois des découvertes inattendues. Il passa en revue tous les disques proposés dans le rayon Opéra-Art lyrique en vérifiant les titres et les artistes un à un, mais rien n'arrêta son attention. Il demanda alors au jeune homme qui était assis à un petit bureau à côté de la caisse s'il avait des disques d'une soprane nommée Clémence S. Le disquaire lui répondit instantanément qu'il n'avait jamais entendu parler d'elle et qu'il n'avait dans son magasin aucun disque qui mentionnât ce nom, comme si sa mémoire infaillible avait enregistré une fois pour toutes les données de tous les articles dont il assurait le classement et la vente.

Sen-nen sortit du magasin. Après un moment d'hésitation, il décida d'aller à la Fnac Montparnasse. Il traversa le boulevard Saint-Michel pour s'engager dans la longue rue de Vaugirard. Il passa devant le palais du Luxembourg et, au bout d'une vingtaine de minutes, il rejoignit la rue de Rennes qui grouillait d'une foule bigarrée et affairée. Arrivé au magasin, il alla directement au rayon de musique classique et examina tous les disques rangés dans la catégorie Opéra-Art vocal. Il ne vit pas le moindre signe de l'existence de Clémence S. Il trouva étrange l'absence fantomatique de cette femme pourtant bien réelle, dans une époque où la reproductibilité technique avait atteint un niveau hallucinant dans le système capitaliste de production massive des biens culturels. Mais, en même temps, cette absence était comme une consolation : sa voix était à l'abri (jusqu'à quand ?) du pouvoir de la banalisation commerciale.

Le magasin fourmillait de monde. La foule des clients habituels était grossie par l'affluence occasionnelle des acheteurs retardataires de cadeaux. L'air était étouffant. Sen-nen s'empressa de sortir. En se dirigeant vers la gare et la tour Montparnasse, il regarda sa montre. Il était onze heures et quelques minutes. Le soleil s'était caché derrière les nuages jaunâtres qui occupaient un tiers du ciel. Il remit son manteau tout en marchant. Il se fraya un chemin parmi les passants qui engorgeaient la place du 18 Juin 1940. Il déboucha enfin sur le boulevard du Montparnasse qu'il emprunta pour rentrer chez lui.

En arrivant au croisement avec l'avenue de l'Observatoire, il remarqua que c'était le jour du marché. Sen-nen était un habitué du marché Port-Royal. Il continua sa promenade, se glissant parmi les flâneurs qui descendaient le boulevard vers les Gobelins.

## 2

Tout à coup, il fut arrêté par des pleurs qui perçaient le mur de la foule. Quelques secondes plus tard, il vit un enfant d'environ cinq ans, perdu au milieu du flot des marchands et des promeneurs, sangloter en criant à pleine gorge « *ma-mian ! ma-mian !* ». Violemment entravé par un torrent de pleurs et des hoquets convulsifs, en bavant tant et plus, il n'arrivait pas à bien articuler le mot. Une femme d'apparence asiatique d'une quarantaine d'années accourut alors auprès de lui. Elle le prit dans ses bras pour le consoler. « Ne t'inquiète pas, ta maman va revenir tout de suite, elle est allée acheter de petites choses pour toi, tu comprends, allez, ne pleure pas, mon petit… » Le garçon, qui continuait à sangloter, ne réagit pas. C'est alors qu'un petit chien à poils courts sortit de l'échoppe de meubles et de bibelots anciens qui s'était installée là et qui attirait beaucoup de monde. Le chien, sans aboyer, regardait en contre-plongée le petit garçon en pleurs. Sa queue remuait dans un mouvement de balancier très rapide. Il s'assit enfin sur son arrière-train tout près de la femme asiatique qui essayait tant bien que mal d'adoucir le chagrin de l'enfant inconsolable. Le marchand de bibelots, vraisemblablement le maître du chien, un chapeau noir de cow-boy sur la tête, vêtu d'un gilet en cuir marron et d'un caban bleu marine, délivré tout juste de la transaction avec un client, s'approcha de celle qui remplaçait pour un temps la mère de l'enfant en détresse.

Vous connaissez le môme ?

Non, pas du tout. Je passais par hasard…

Un autre marchand forain d'une soixantaine d'années, aux longs cheveux gris noués en queue-de-cheval, qui tenait une échoppe spécialisée dans les tableaux et les dessins, leur adressa la parole d'une voix forte et caverneuse.

Elle ne doit pas être loin. Il faut faire savoir à la mère que son môme la cherche, il est perdu ! Je ne supporte pas les gosses qui pleurent…

Il se mit alors à crier à la cantonade, de toute la force de ses poumons.

Je vais voir là-bas avec le petit. Je reviens tout de suite si je ne la trouve pas, dit la dame asiatique d'une voix légèrement éraillée en se tournant vers les deux hommes compatissants.

Pendant ce temps, le petit chien, toujours assis sur son séant, ne quittait pas des yeux la femme et l'enfant ; et il se leva dès qu'ils commencèrent à remonter lentement le boulevard. Le chien les suivit sans la moindre hésitation.

Sen-nen, qui avait assisté à toute cette scène, dit au marchand de bibelots au chapeau noir :

Il est parti, votre chien. Ça va ?

Oui, il est comme ça. Il s'inquiète quand il y a un gosse qui pleure. Ce n'est pas la première fois. Mais il revient quand les choses s'arrangent. Ne vous inquiétez pas, enfin, moi je ne m'inquiète pas. De toute façon, les bêtes sont comme ça. Elles sont très sensibles… il ne faut pas croire qu'elles sont bêtes… bien au contraire ! Enfin, j'espère que la dame retrouvera la mère du petit… C'est ça, le but de Jacky ! Il a tout compris !

C'est son nom, Jacky ?

Oui, on m'a dit que c'était un Jack Russell terrier quand on me l'a donné. Alors je n'ai pas cherché plus loin, je l'ai prénommé Jacky, c'est tout.

Une petite photo en noir et blanc, d'une facture d'un autre temps, dans un cadre en bois jaune frappa à ce moment-là le regard de Sen-nen.

C'est Jacky ?

Oui, c'est lui. C'est moi qui ai pris la photo. C'est volontairement rétro… C'est pas mal, hein ?

J'aime beaucoup son regard…

Jacky avait été photographié en plongée, comme s'il vous regardait depuis sa position assise. Si la dame asiatique avait prêté attention à la présence discrète de Jacky à ses pieds, elle aurait eu une vision de l'animal exactement comme celle de la photo qu'il venait de découvrir.

Je vais la prendre, monsieur. J'aime bien le cadre aussi, il va très bien avec...

Vous faites honneur à Jacky !

Je crois que je me souviendrai longtemps de lui...

C'est gentil, ce que vous me dites. Allez, je vous fais un prix ! Vingt francs avec le cadre, ça vous irait ?

Très bien. Vous en avez d'autres comme celle-ci ? J'en voudrais trois...

Oui, je crois que j'en ai d'autres... Voilà. Ça vous fait trente-cinq francs... Et le voici qui revient ! Je vous l'avais dit !

Le petit chien revenait en trottinant, en perçant la foule, en zigzaguant entre les jambes couvertes de tissus de couleurs bariolées. En s'allongeant sur une couverture noire posée par terre juste à côté du présentoir, il bâilla comme une carpe et se coucha tranquillement. Sennen, ayant réglé son achat, s'approcha du chien, se mit à genoux devant lui. Jacky était couché le museau entre les pattes de devant ; il redressa alors la tête et fixa le jeune homme. Sen-nen caressa le chien entre les oreilles. Celui-ci se laissa faire en fermant les yeux.

C'est juste à ce moment-là qu'il reconnut la voix enrouée de la dame asiatique. Celle-ci claironna en tendant sa main droite dans la direction de Montparnasse :

Ça y est ! Elle était là-bas, à cent mètres d'ici,

en train de chercher désespérément son fils ! Il s'appelle Idrissa…

Ah oui ? En tout cas, bravo ! Merci, fit le cowboy. L'affaire est réglée ! Allez, bonne journée ! Et joyeux Noël !

Merci ! Vous aussi !

Vous avez fait votre B.A., déclara d'une voix puissante le marchand forain à la queue-de-cheval.

La femme s'éloignait déjà et disparaissait dans la foule des flâneurs.

Sen-nen était toujours accroupi devant le chien. Il continuait à lui caresser la tête. Enfin, il se releva.

Merci, monsieur, pour la photo ! Peut-être à bientôt !

Au revoir et merci ! Revenez me voir ! Je suis toujours là quand il y a le marché.

D'accord… Et merci à toi aussi, Jacky !

Il se baissa de nouveau pour poser sa main sur la tête du chien. Puis il prit sa patte droite et lui caressa les babines.

Il remonta le boulevard en se retournant plusieurs fois. Jacky s'était remis debout et avait fait quelques pas en avant pour regarder du côté de la cohue qui absorbait le jeune homme tenant à la main un petit objet en bois jaune et un sac en plastique blanc.

Sen-nen fit quelques courses pour le soir et rentra. Il plaça la photo de Jacky sur son bureau à côté du poste de radiocassette.

## 3

Il fallait qu'il pensât à la petite soirée qu'il organisait. Il avait en effet invité trois personnes à partager son dîner pour ne pas rester seul et pour qu'elles ne restent pas seules, elles non plus, la veille de Noël. Il ferait du porc au curry à la japonaise.

Il avait appelé Thomas, un thésard américain qu'il côtoyait à la Sorbonne et dont il savait qu'il ne rentrerait pas en Amérique pour Noël. L'Américain, avec son accent très prononcé, lui avoua un jour, de but en blanc, qu'il était homosexuel et que, dans son pays, l'homosexualité était regardée comme une monstruosité pire que le communisme pour lequel, d'ailleurs, il ne cachait pas une certaine sympathie. Sen-nen pensa à ce qu'il avait lu quelque part à propos de *Candide* de Leonard Bernstein, une opérette que le célèbre chef d'orchestre-compositeur avait écrite dans le contexte houleux et délirant du maccarthysme des années cinquante.

« Écraser l'infâme » est un mot d'ordre toujours valable ! déclara Sen-nen.

Thomas lui envoya un sourire de connivence. Ce jour-là, ils eurent chacun le sentiment que la porte de l'âme de l'autre était désormais déverrouillée ; ils se rejoignaient dans le partage d'une confiance paisible sans trouble.

Sen-nen avait contacté également Anna, une étudiante polonaise, jeune enseignante de français en formation-recyclage pédagogique, qu'il avait rencontrée en faisant la queue au restaurant universitaire de la rue Jean-Calvin. Sa beauté tranquille se remarquait. Tandis que Sen-nen montait à la vitesse d'un escargot l'escalier d'entrée encombré comme le métro aux heures de pointe, son regard croisa celui d'Anna. Celle-ci lui lança un sourire irradiant. Elle avait un pull-over bleu marine usé, avec un minuscule trou près de l'épaule gauche. Son sourire et le pull imperceptiblement troué, lui rappelant la jeune fille folâtre de *Vivre* d'Akira Kurosawa qui portait nonchalamment des bas déchirés, l'incitèrent à lui adresser la parole. Ils s'installèrent l'un en face de l'autre et mangèrent ensemble en discutant. C'était une passionnée de littérature ; elle lisait alors *L'Éducation sentimentale* dont elle parlait avec enthousiasme et que lui-même venait de lire avec éblouissement. Il lui fit part, quant à lui, de la thèse de doctorat qu'il préparait laborieusement sur l'idée et l'esthétique de la voix dans la pensée et la littérature des Lumières. Ainsi, ce soir-là, en l'espace d'un dîner d'étudiant frugal, une sorte d'estime réciproque était-elle née entre eux.

Sen-nen avait convié à la soirée improvisée Ling aussi, une brillante étudiante chinoise en mathématiques envoyée par son gouvernement. Il avait rencontré la scientifique surdouée, quelques mois auparavant, par l'intermédiaire d'un ami français physicien avec qui il s'amusait de temps à autre à chanter des airs d'opéra. Dès les premiers instants, il sentit vaguement s'incruster entre eux un certain embarras. Il n'avait jamais connu un tel malaise avec les Européens. Il ne pouvait s'expliquer cet obscur inconfort réciproque que par la mémoire collective d'une blessure historique. Comment les Chinois auraient-ils pu oublier les atrocités commises autrefois par l'armée coloniale nipponne ? Sen-nen sentait qu'il était séparé de Ling par l'abîme des cicatrices traumatiques de l'Histoire…

La Chinoise n'était pas à l'aise en français. Du coup, dans les limites de la politesse requise vis-à-vis de l'ami physicien, ils communiquèrent par écrit entre eux, s'il en était besoin, en recourant aux idéogrammes. Mais il fallait faire attention, car les mots en idéogrammes ne signifiaient pas toujours la même chose de part et d'autre de la mer du Japon. Quelques éclats de rire, liés à des possibilités comiques de malentendu, fusèrent de leur bouche. Sen-nen profita de ce moment de décrispation pour lui dire que son père avait été soldat en Chine pendant la guerre et qu'il avait été maltraité, voire torturé par des aînés orgueilleux et des supérieurs sans pitié à cause de son attitude antimilitariste affirmée. Il parlait lentement, avec des mots simples. Le visage timidement maquillé de Ling s'éclaircit alors instantanément comme si tous les muscles faciaux s'étaient relâchés d'un coup. Il ajouta ensuite qu'il pensait pour sa part que deux individus venant de deux pays en guerre l'un contre l'autre pouvaient être des amis au-delà des différences d'appartenance et qu'il préférait avoir un ami ou une amie dans le pays *ennemi* plutôt qu'une patrie abominable aux comportements injustes et injustifiables. Ling écoutait son interlocuteur d'un air hébété.

Ceux qui sont au pouvoir actuellement sont les héritiers directs des fiers bâtisseurs de l'empire colonial… Il n'y a eu ni travail de repentance en profondeur, ni effort de transmission du passé et de l'Histoire… Les manuels scolaires en sont témoins…

La scientifique chinoise et le littéraire japonais se promirent de se revoir.

Sen-nen saisit l'occasion du dîner projeté pour concrétiser cette promesse.

La soirée nippo-sino-américano-polonaise fut gaie. Les quatre jeunes gens, venant d'horizons géographiques divers, parlant ou s'efforçant de parler une langue commune qui n'était la langue de personne, créèrent, à l'occasion d'une banale fête institutionnalisée, une joyeuse communauté d'idées et de sentiments oublieuse des racines cultuelles et culturelles de chacun.

On mangea avec appétit ; on but avec plaisir ; on discuta avec enthousiasme. On alla d'un sujet à l'autre. Les langues se déliaient. Chacun donnait libre cours à sa parole. Livres lus, films vus, musiques entendues, conférences écoutées, personnes rencontrées, famille, politique et société du pays de chacun, guerres, travail, chômage des titulaires de doctorat, peur de l'avenir, tout y passait.

Tout à coup, Thomas demanda à son ami japonais :

Et toi, Sen, à quoi t'occupes-tu en ce moment, mis à part la thèse ?

Eh bien…

Il marqua un moment d'hésitation.

Je vais à l'Opéra.

Qu'est-ce que tu as vu de beau récemment ? demanda Anna.

*Les Noces de Figaro.*

Ah oui, on en parle pas mal.

Oui, c'est un spectacle remarquable, tellement remarquable que j'assiste à toutes les représentations. Il n'en reste plus que deux ou trois… C'est triste.

À toutes les représentations ?! s'exclamèrent simultanément les trois voix.

Oui, à toutes…

C'est en rapport avec ta thèse ?

C'est très stimulant, en effet. Mozart a une place non négligeable dans mon travail.

Tu es amoureux, Sen ! s'écria Thomas, en lui tapant sur l'épaule.

Mais de qui ? répliqua Anna, interloquée.

Je ne sais pas, d'une musicienne, par exemple !

Je suis amoureux de la musique des *Noces*, c'est sûr…

Une rougeur soudaine envahissait le visage de Sen-nen qui souriait.

Sur la grande planche de travail à tréteaux, recouverte pour l'occasion d'une nappe à carreaux rouges et blancs, il ne restait plus rien sauf un petit morceau de gâteau au chocolat, le dessert apporté par Ling. Plus de porc au curry, plus de riz, plus de salade improvisée au dernier moment, plus de vin non plus. Casserole, assiettes, bols, bouteille, enfin tout était vide sauf la carafe d'eau à moitié pleine posée au milieu, juste à côté du petit bouquet de fleurs offert par Anna. Le temps s'était écoulé à l'insu des convives. Il se faisait tard. La nuit avançait ; le sommeil s'appesantissait. Il fallait se quitter. On s'attardait cependant. Personne ne semblait pressé devant la table qui annonçait la fin du modeste banquet. Et, pour un rien, la conversation repartait de plus belle.

Enfin, Sen-nen se leva. Il prit un sac en plastique blanc sur son lit, qui contenait trois enveloppes. Il en donna une à chacun des convives.

Joyeux Noël !

Oh ! C'est gentil, mais, moi, je n'ai rien apporté ! dit Anna sur le ton d'un regret sincère.

Moi non plus, je n'y ai même pas pensé, ajouta Thomas.

Ne vous inquiétez pas, ce n'est vraiment pas grand-chose. Ce n'est même pas un cadeau. C'est un tout petit truc que j'ai trouvé ce matin au marché.

Ah, elle est superbe, cette photo !

N'est-ce pas !

Oui, quel regard !

Merci beaucoup, Sen, ça me fait très plaisir ! dit la Chinoise, visiblement émue.

Tu aimes les chiens ?

Oui, beaucoup. J'en ai un comme ça chez moi en Chine.

Comme lui ?

Oui… exactement… comme lui. Tu sais… comment ça s'appelle, cette race de chien ?

Attends, on me l'a dit ce matin… C'est un… Jack Russell terrier ! C'est pour ça qu'il s'appelle Jacky, d'ailleurs.

Ling lui lança un gracieux sourire.

Tu as vu ce chien ? demanda Thomas.

Oui, c'est le chien d'un marchand de bibelots qui vient au marché. Il était donc là ce matin. Et il s'est passé quelque chose d'assez incroyable… Vous avez encore un petit moment ?

Oui… Et de toute façon, je raccompagnerai Anna et Ling. Ne t'inquiète pas. Vas-y.

La Chinoise et la Polonaise échangèrent un regard furtif, pétillant, rasséréné.

Je suis donc allé ce matin au marché Port-Royal…

Sen-nen commença à raconter aux invités le

récit de Jacky, le sauveur de l'enfant perdu. Lorsqu'il eut fini, il ajouta :

Je me demandais ce qui se passait dans sa tête, dans sa vision des choses, dans son monde d'émotions à lui, pour qu'il se comporte comme ça... En tout cas, j'étais en admiration devant sa puissance d'empathie totalement silencieuse, cette manière discrète de compatir, d'éprouver la douleur de l'enfant... à laquelle personne ne semblait prêter attention...

Sauf toi ! s'écria Ling.

Ils étaient sur le pas de la porte. Dans la cage d'escalier régnait un silence feutré. Les quatre jeunes gens se dirent au revoir. Ils baissèrent la voix machinalement.

Je vous accompagne jusqu'en bas.

On te laisse la vaisselle, ce n'est pas sympa... chuchota Anna.

Mais non, je m'en occuperai demain matin, j'ai toute la journée...

Dans la rue, on entendit longtemps des mots d'amitié et de remerciements circuler d'une bouche à l'autre. Enfin, sous un réverbère en panne, les ombres d'hommes et de femmes s'embrassèrent. Puis on entendit de nouveau des mots... et des voix qui s'éloignaient peu à peu. Les nuages avaient été balayés par un vent d'hiver sec qui faisait hurler le ciel constellé. Le temps s'était remis au beau.

Sen-nen remonta l'escalier quatre à quatre. Il s'empressa de s'enfoncer dans la chaleur du petit radiateur près de la fenêtre. Le réveil indiquait deux heures. Il se demanda jusqu'à quand le doux lien d'affection qui l'unissait aux trois amis durerait. Serait-il possible de les revoir dans dix ans ? Se retrouveraient-ils vingt ans plus tard avec autant de plaisir ? Il mit une cassette audio dans son lecteur. Il débarrassa la table et il commença à faire la vaisselle.

Les violons en sourdine sur un air d'une tristesse mélancolique introduisaient les lamentations de Barberine cherchant dans la nuit ténébreuse, une lanterne à la main, une épingle égarée.

Quelques semaines plus tard, ils se revirent tous les quatre à l'occasion du retour précipitamment décidé d'Anna dans son pays. Ils passèrent une longue soirée ensemble comme celle de la veille de Noël. Sen-nen sentit qu'une amitié douce, désintéressée les liait sans qu'aucun d'entre eux ne l'exprimât explicitement.

Peu après, le groupe se dispersa. Thomas rentra dans sa ville d'Amérique ; Ling fut rappelée par son université qui lui proposait un poste d'assistante. Il y eut entre eux des échanges de lettres et de cartes postales. Un jour, Sen-nen écrivit aux trois amis et leur proposa sur un ton mi-sérieux mi-plaisantin de se revoir dans trente ans, jour pour jour, à l'entrée du jardin du Luxembourg. Tous les trois lui répondirent qu'ils avaient bien noté le rendez-vous. Puis billets et cartes s'espacèrent ; les liens se relâchèrent.

Seul le rendez-vous resta comme un journal abandonné sur un banc public au déclin du jour.

## 4

Sen-nen retourna à l'Opéra le 26 au matin. Il put avoir une place facilement, toujours au troisième rang, mais, cette fois, dans la zone centrale juste derrière l'emplacement du chef d'orchestre.

La première partie terminée, il se promena, pendant l'entracte, dans le vaste et somptueux espace du palais, du salon du Soleil au salon de la Lune en passant par le grand foyer.

« Tu es amoureux, Sen ! » Il entendit tout à coup la voix légèrement nasillarde de Thomas au fond de son oreille. Il souriait en pensant à son sourire forcé accompagné d'une bouffée de chaleur.

Il redescendit le grand escalier encombré de spectateurs. Au moment où il s'apprêtait à pénétrer dans la salle, il entendit une voix d'homme dire dans son dos :

Bonsoir, jeune homme ! Je me demandais si vous seriez là.

Bonsoir, monsieur. Vous voyez, je suis là, comme tous les soirs… Vous allez bien ?

Oui, merci ! Fidèle au poste, je suis toujours en forme. Allez, très bonne soirée en compagnie de Suzanne !

L'homme à la barbe et aux cheveux argentés lui avait lancé un sourire malicieux, taquin. Sennen, rougissant légèrement, pénétra dans la salle éclairée qui attendait le retour des spectateurs.

Il s'installa dans son fauteuil. Quelques instrumentistes, des cordes et des cuivres, déjà à leur place dans la fosse d'orchestre, s'appliquaient à répéter individuellement, profitant des minutes qui leur restaient encore. Il reconnut l'air du sextuor. Il s'appuya sur le dossier de son siège et ferma les yeux en poussant un profond soupir…

Le souvenir d'un rêve ancien lui revint.

J'entends une voix d'homme me répondre.

En effet, c'est mon morceau préféré des *Noces*… J'ai essayé de faire en sorte qu'un certain sentiment de bonheur s'en dégage…

Un homme en perruque poudrée de blanc marche à côté de moi, portant une sorte de longue cape noire qui dissimule son corps petit et mince… Je lui parle sans me gêner, avec une familiarité courtoise.

Oui, le sentiment qui domine dans le sextuor, c'est la joie profonde… Après la furie vengeresse du Comte, on assiste là à l'émergence d'une grande tendresse qui inonde les cœurs rapprochés…

Ça me fait plaisir de vous entendre parler

ainsi… Au fait, qui êtes-vous ? Comment vous appelez-vous ?

Oh, ça n'a pas d'importance, monsieur Mozart. Je ne suis qu'un simple étudiant qui vous admire de loin.

Je ne vous ai jamais vu par ici… Vous venez de loin ?

Oui, de très loin.

Un jeune homme qui vient de loin et qui aime mon opéra ! Rien de plus plaisant pour moi ! Oui, le sextuor, c'est le moment, voyez-vous, où disparaissent tout à coup les deux conflits qui constituaient un des ressorts de l'intrigue. Le conflit entre Figaro et Bartholo qui remonte au temps du *Barbier* et celui entre Suzanne et Marceline dont j'ai montré la teneur dans leur duo au premier acte. Ces deux conflits se dissipent ici comme par enchantement.

Au profit justement de la joie de la famille qui se retrouve, se reconstitue autour de Figaro…

Tout à fait. Si vous voulez, la musique célèbre la triple naissance, le triple commencement d'une relation familiale durable. Les relations apaisées des parents avec leur fils, le mariage de Figaro et de Suzanne, l'union tardive entre Bartholo et la gouvernante.

Oui, c'est la beauté des choses qui *commencent*… pour un temps dont on n'envisage pas la fin… C'est vraiment très beau !

Je continue ainsi à parler avec le compositeur. Mais de petits signes d'impatience de sa part me font comprendre qu'il est pressé. Je me hâte d'ajouter que j'admire la manière dont il attribue à Suzanne une série de notes véritablement *aériennes* qui la distinguent des autres personnages.

Merci, jeune homme, pour cet agréable moment. Au revoir…

Vous savez, j'aime la petite phrase de Suzanne : « *Chi al par di me contenta ? (Qui est heureux autant que moi ?)* » Elle est d'une simplicité confondante, mais d'une grâce…

Un soupir d'admiration s'échappe de ma bouche.

Il a disparu.

Sen-nen fut brusquement secoué par des applaudissements tumultueux et tiré de sa rêverie momentanée. Le chef d'orchestre salua le public et se retourna vers les musiciens. Puis il regarda la claveciniste. Un silence de plomb tomba.

Le troisième acte, tout doucement, commença.

# 5

À peine assis sur sa chaise, Sen-nen ouvrit son cahier bleu et écrivit une troisième lettre à Clémence S. dans une exaltation fiévreuse suscitée par la vision de la onzième représentation des *Noces de Figaro*. Il évoqua, entre autres, les frissons éprouvés à l'écoute du duo de la lettre du troisième acte. Ah ! qu'elle était éblouissante, cette musique ! C'était incroyable, elle arrivait à pulvériser en un temps record les relations dominante-dominée qui caractérisaient la Comtesse et Suzanne, l'une dictant à l'autre un mot doux pour le Comte ! Et surtout, la sensualité à fleur de peau de Suzanne, quand elle chantait avec la Comtesse dans une fusion jubilatoire effaçant toute différence de rang social ! Sen-nen, au fort d'un intense effort d'écriture, se laissait peu à peu gagner par une ivresse voluptueuse…

Lorsqu'il eut posé enfin « Bien cordialement » suivi de son prénom, il était deux heures du matin passées. Épuisé, il se mit au lit et, en quelques secondes, il tomba dans l'oubli de tout et de lui-même…

Du plus profond du sommeil s'élevèrent cependant des rêves qui vinrent occuper son monde nocturne.

Je me tiens devant l'entrée d'une demeure autour de laquelle s'étend un grand jardin parsemé de bosquets. Une série de portes en bois massif s'ouvrent alors sans bruit les unes après les autres. Au fond d'une vaste pièce faiblement éclairée par une dizaine de bougies est assise sur un canapé en velours vert foncé une jeune femme au regard mélancolique, habillée d'une robe d'intérieur en mousseline bleu-gris, émaillée de motifs de fleurs cousus en fil doré. Le vêtement léger est comme déboutonné, ouvert, laissant voir la chemise blanche qui cache mal la courbure de sa poitrine. Les cheveux bouclés tombent négligemment sur les épaules nues ; sa main droite retient sa chemise de nuit sous son sein droit comme si elle s'empêchait de se dévêtir davantage ; les doigts effilés de sa main gauche prennent quelques mèches de cheveux pour les soulever. Ses yeux brillent d'un feu mystérieux ; de ses lèvres vermeilles se répand sur ses joues une coloration rougeâtre. La scène est immobile comme dans un tableau. Je fais quelques pas en avant. Les bougies s'éteignent brusquement comme soufflées par une bourrasque. La femme disparaît dans le noir…

Une salle de classe où s'agitent une cinquantaine de têtes aux cheveux noirs. Est-ce un collège ou un lycée ? Des odeurs d'hommes vous prennent à la gorge. Une lumière d'été, vive, éclatante, pénètre à travers les carreaux. Les garçons, imperturbablement en chemise blanche à manches courtes, portent un pantalon noir. Les filles, moins nombreuses et dispersées parmi les garçons, sont en chemisier blanc sans caractère, rendant vaine toute tentative de coquetterie personnelle. Quant à moi, je suis habillé comme en hiver : j'ai un gros pull violet qui s'harmonise mal avec mon pantalon noir en velours côtelé. Je suis assis, au fond de la salle, au dernier rang à côté d'une camarade dont je ne vois pas le visage. Les élèves se penchent en silence sur une grande feuille B4. C'est un examen, manifestement. De quelle matière ? Je l'ignore. Je me trouve devant une étendue blanchâtre criblée de lettres, de chiffres et de signes cabalistiques. Je n'y comprends rien. Qu'est-ce que c'est que cette chose-là ? Calme-toi, il faut d'abord bien lire les sujets… Je parcours les lignes, je lis les mots les uns après les autres. Je crois vaguement comprendre quelque chose… J'ai alors l'idée de prendre un crayon dans ma trousse. Je voudrais la tenir avec la main gauche afin d'en ouvrir la fermeture éclair avec la main droite. Mes mains cachées dans les manches reposent sur mes genoux ; j'essaie de les soulever. Elles sont excessivement lourdes. Comment cela se fait-il ? Pourquoi mes mains sont-elles aussi lourdes ? J'arrive, cependant, tant bien que mal, à les poser sur le bureau. Maintenant, je les vois. Mais est-ce que ce sont les miennes ? Je suis surpris de les découvrir blanches et figées dans une immobilité de plâtre. Eh oui, elles sont blanches, sans couleur de vie, sans vie ! Je m'affole. Mes mains sont mortes, elles ne bougent plus. Je ne peux pas les mouvoir. Les doigts sont écartés et fossilisés dans cet écartement. Ils ne pourront pas attraper le crayon. Le temps passe sans que je puisse rien faire… J'ai brusquement très chaud. Je transpire. Des gouttes de sueur descendent de mon front vers les tempes… Je regarde ma voisine. Elle se penche sur sa copie qu'elle est en train de remplir à une vitesse vertigineuse. Elle se rend compte que je la regarde. Elle tourne la tête vers moi, lentement. Ah !… c'est Clémence S. qui est là ! C'est bien elle ! Aussi belle que sur la scène du palais Garnier ! Qu'est-ce qu'elle fait ici, dans mon lycée ? Elle n'a pas l'âge d'une lycéenne. Moi non plus d'ailleurs. Je suis un étudiant doctorant. J'ai la conscience d'avoir dix ans de plus que mes camarades dont je ne vois que le dos. Mais alors, pourquoi suis-je là ? Clémence S. me sourit et me dit bonjour. Elle est légèrement maquillée. Elle porte un chemisier en mousseline de soie bleu-gris dont le col cravate est orné de motifs de fleurs cousus en fil doré. On voit son soutien-gorge en transparence. Je lui dis en rougissant :

Excusez-moi.

Pourquoi vous vous excusez ?

Je suis frappé par sa voix de velours, cristalline.

Parce que…

Des mots sortent de ma bouche, mais dès qu'ils sont prononcés, ils se transforment en une multitude de points noirs qui frétillent comme des têtards. Ma voix s'éteint. J'ai beau lui parler, Clémence S. n'a pas l'air de m'entendre… Elle pose alors un regard mélancolique sur mes mains pétrifiées, mortes… Je veux les cacher, mais je ne peux pas. Elles sont si lourdes. Je ne peux pas les soulever. On dirait qu'elles sont fixées au bureau. En plus, elles commencent à saigner… Des gouttes de sang sur la partie extérieure de mes mains en plâtre se rejoignent pour former une longue et sinueuse traînée de larmes rouges…

# 6

Figaro, à genoux, sur une musique d'une expressivité exagérée, avait adressé des paroles tendres à la Comtesse Almaviva dont il savait qu'elle n'était personne d'autre que sa fiancée déguisée. Celle-ci, furieuse de la *trahison* de Figaro, lui avait assené de multiples petites claques, emportée par un mouvement mélodique endiablé exprimant à la fois la taquinerie amusée du valet de chambre et l'énervement agacé de la cameriste amoureuse se cachant mal sous le vêtement de la dame noble. Figaro avait dit à la fausse Comtesse : « *Donnez-moi votre main…* » Et Suzanne de répondre : « *La voici, monsieur* » en lui appliquant une première gifle. Poussée par une colère croissante, elle lui en avait appliqué plusieurs dans la foulée et Figaro, quant à lui, les avait reçues comme autant de preuves d'amour de sa fiancée, en chantant en aparté : « *Oh ! gifles délicieuses ! Oh ! quelle félicité !* »

Après un arrêt d'une seconde à peine, l'homme se mit à moduler une musique de paix et de réconciliation, une musique d'une débordante tendresse :

*Pace, pace, mio dolce tesoro (Faisons la paix, mon doux trésor),*
*Io conobbi la voce che adoro (J'ai reconnu la voix que j'adore).*

Figaro expliquait à Suzanne qu'il l'avait immédiatement reconnue à sa voix malgré le voile de la nuit ténébreuse. Tous les signes extérieurs, de la perruque aux chaussures, devenant peu pertinents dans l'indistinction de la nuit profonde, seule la singularité de sa voix lui avait révélé la présence de sa bien-aimée. Ainsi, à présent, l'homme et la femme étaient-ils conduits à s'engager dans un ardent épanchement d'amour. La voix du baryton grave et celle de la soprane lyrique se cherchaient, s'entremêlaient, se superposaient, s'embrassaient, se pénétraient…

Sen-nen frissonnait d'émotion. Son cœur était agité par de petits frémissements qui œuvraient dans les profondeurs de son être et qui, ensuite, montaient d'instant en instant jusqu'à la surface de la peau. Au fond de lui, il sentait couler à flots quelque chose comme une inépuisable fontaine de jubilation.

En quittant la salle où se poursuivait une vibrante ovation, Sen-nen ne pouvait s'empêcher de se demander pourquoi la musique des *Noces* le remuait à ce point, *le prenait aux entrailles* en quelque sorte. N'était-ce pas en raison de la manière éblouissante dont Mozart faisait évoluer hommes et femmes à travers un entrecroisement de voix diverses ? Ne proposait-il pas là une vision de la société qui n'avait rien à voir avec celle à laquelle, naissant et grandissant dans son pays d'Extrême-Orient, Sen-nen s'était accoutumé depuis le début de son existence ? Et Suzanne ? Pourquoi l'attirait-elle irrésistiblement ? Une beauté florissante, une grâce inoxydable, une liberté joyeuse éloignée de l'enfermement féodal aussi bien que de l'asphyxie bourgeoise, une fraîcheur d'humanité à mi-chemin de la ville et de la campagne, à l'écart de l'Église tout autant que du culte des affaires financières… N'était-ce pas tout cela, Suzanne ?

L'avant-dernière représentation était terminée. Il ne lui restait plus que la dernière, celle du 30 décembre. En pensant à son écoute des *Noces*, enchantée, réitérée, obsessionnelle, à ce plaisir qui touchait bientôt à sa fin comme l'éphémère euphorie dominicale de l'enfance, il fut saisi d'un étrange serrement de cœur qu'il n'avait jamais éprouvé.

Il s'empressa de descendre dans le hall où quelques personnes, déjà, s'apprêtaient à quitter le palais Garnier. Il remarqua tout de suite le monsieur à la barbe et aux cheveux argentés qui se tenait comme d'habitude juste à côté de l'entrée centrale. Il s'approcha de lui pour lui remettre la nouvelle lettre qu'il avait écrite la veille.

Bonsoir, jeune homme, je suis content de vous voir. Mademoiselle S. est venue me trouver avant le spectacle pour me charger de vous donner cette enveloppe…

Ah oui ? Ça, c'est une surprise…

Une surprise agréable ! Vous ne vous y attendiez pas, n'est-ce pas ?

Alors là, pas du tout ! De mon côté, j'ai cette lettre que j'aimerais vous confier…

D'accord, pas de problème. Je dois aller la voir tout à l'heure pour lui dire que je vous ai bien transmis son mot…

Alors, vous la remercierez de ma part, s'il vous plaît.

Je n'y manquerai pas. Allez, au revoir !

Au revoir, monsieur ! À demain !

Sen-nen avait glissé le mot de Clémence S. dans la poche intérieure de sa veste. La nuit s'approfondissait. Il attrapa un bus moyennement encombré. Il y avait une place libre à l'arrière. Il s'y installa. Il regarda à travers la vitre le paysage urbain qui défilait : les rues sombres et désertes, les boutiques fermées, les cafés ouverts et bondés… Il ressentait une lancinante brûlure d'estomac qui le faisait se tordre de douleur.

Il attendit d'être rentré chez lui pour ouvrir l'enveloppe de Clémence S. comme s'il s'agissait d'un message secret défiant les regards indiscrets. Il déplia la feuille de papier où étaient tracées quelques lignes d'une écriture fine et soignée.

*27 décembre*

*Cher Monsieur*

*Je vous remercie de vos lettres. Je n'en ai jamais reçu comme les vôtres. C'est un encouragement immense pour quelqu'un comme moi qui débute presque.*

*Je serais heureuse de faire votre connaissance. Si vous veniez après-demain à la dernière représentation, nous pourrions nous rencontrer après le spectacle... Qu'en pensez-vous ?*

*Cordialement,*

*Clémence*

Le rythme cardio-vasculaire s'accélérait chez le lecteur. La vision de la main de Clémence tenant un stylo l'effleura pour disparaître aussitôt.

Immédiatement, Sen-nen décida d'écrire une dernière lettre à Clémence S. Il la lui remettrait lorsqu'il la rencontrerait en personne. Il avait écrit coup sur coup trois lettres, une sur chacun des trois premiers actes. C'était donc sur le quatrième acte qu'il allait se pencher, l'acte final, le moment culminant où des profondeurs de la nuit surgit un corps de voix, une communauté d'individus délestés de ses signes d'appartenance extérieurs.

La dernière représentation des *Noces* aurait lieu deux jours plus tard, le 30 décembre. Ça ne pressait donc pas. Mais il ne résista pas à l'urgence fiévreuse de son désir d'écrire. Il ouvrit son cahier bleu pour s'y plonger. Les mots s'égrainaient. Courait sous la plume une pensée fébrile s'efforçant de prendre Suzanne à bras-le-corps dans sa grande aria : « *Le moment est enfin venu d'être heureuse sans contrainte…* »

En deux heures, trois pages de son cahier furent remplies. Il dut recharger son stylo. Il y avait beaucoup moins de ratures que les fois précédentes. Lorsqu'il finit d'écrire les derniers mots de la lettre : « *Je suis dans l'impatience de vous rencontrer* », il s'écroula d'épuisement.

# 7

*La nuit du 27 au 28 décembre 19…*

*À l'attention de Mademoiselle Clémence S.*

*Le gentil monsieur du palais Garnier m'a bien transmis votre mot ! Quelle surprise ! Merci infiniment pour votre proposition que j'accepte avec joie !*

*Aujourd'hui, ce fut donc la dixième représentation des* Noces. *Et après-demain, ce sera la dernière… déjà.*

*Ce soir, plus que les autres soirs, j'ai le sentiment d'avoir été transporté dans un ailleurs lointain, un univers très éloigné de celui qui m'est familier et que je dois retrouver bientôt une fois que j'aurai fini mes études ici. C'est surtout le quatrième acte (comme le finale du deuxième) qui me donne ce sentiment…*

*Dans cette lettre que je vous remettrai en mains propres après-demain, je n'ai qu'une idée : celle de vous communiquer l'émotion profonde que j'éprouve en vous entendant chanter la grande aria de Suzanne :* « Deh, vieni, non tardar, o gioia bella… », *qui est l'expression même de la jubilation amoureuse et qui constitue, à ce titre, un des sommets, sinon le sommet, de l'œuvre.*

*La nuit est tombée. Le jardin est à peine éclairé par de rares torches. Suzanne et la Comtesse ont échangé leurs vêtements. L'obscurité plonge les personnages dans une indistinction heureuse. Et c'est là que vous chantez votre chant d'amour. Près de vous se tient aux aguets la dame noble vêtue de votre robe de paysanne. En retrait, dans les broussailles, habillée en Comtesse, vous prêtez votre voix à la fausse Suzanne (la Comtesse) qui fait semblant de chanter l'aria de Suzanne. Votre voix passe donc par la bouche de la Comtesse Almaviva qui, déguisée en Suzanne, attend l'arrivée de son mari volage. Tout le ressort de la « comédie » est ainsi bien mis en place.*

*Mais, vers le milieu du déroulement musical de l'aria, lorsque vous abordez le dernier segment : « Viens, mon aimé, caché dans le feuillage, / Je veux couronner ton front de roses », vous êtes dépassée par votre propre chant. Vous oubliez que vous prêtez votre voix à la Comtesse pour déjouer le dessein du seigneur libertin. Vous ne vous adressez plus à Almaviva, mais à Figaro. C'est l'amour qui vous transporte, qui vous fait oublier votre rôle… Les ondulations vocales et les exquises appogiatures que vous réalisez et qui traduisent l'émotion amoureuse de la jeune femme sont d'une beauté frémissante.*

*Par la vertu d'une écriture créatrice d'un sentiment d'élévation, loin de toute coloration religieuse, Mozart réussit à donner une substance réelle à l'idée de « bonheur de l'amour », comme il l'a fait d'une manière éblouissante au troisième acte pour la célébration du bonheur de la famille.*

*L'amour, donc. Mais pas l'amour-passion qui s'use et qui ne se conserve que dans la mort (nous sommes loin de* Tristan et Isolde *!), mais l'amour-compassion qui vous fait vivre dans l'autre, qui vous fait éprouver les joies de l'autre, qui vous fait subir les peines d'autrui, cet amour calme en deçà et au-delà des tourments connus des amants modernes, cet amour qui ignore l'attrait et la violence du nouveau et qui se renouvelle, se ressource dans la répétition, se réjouit purement et simplement de la présence de l'autre, me semble avoir trouvé sa place ici dans ce moment privilégié des* Noces *réservé à Suzanne. Mozart y a élevé l'expression de l'amour à un tel degré de tendresse bienveillante qu'à chaque écoute de votre chant je suis profondément bouleversé. Vous comprenez pourquoi je ne me lasse pas de venir vous entendre depuis bientôt trois semaines. Écouter* Les Noces, *faire l'expérience des cent quatre-vingts minutes de cette œuvre, c'est pour moi l'occasion de cheminer avec Suzanne vers l'avènement de cet amour apaisé, tendre, serein, je dirais même idyllique, que vous rendez si palpable par la puissance de votre art.*

*Je m'arrête là.*

*Je suis dans l'impatience de vous rencontrer.*

*Sen-nen Y.*

# 8

La nuit suivante, Sen-nen fut assailli par un rêve étrange.

Il était retourné dans la petite maison en bois où il avait passé son enfance entre six et treize ans. La maison était vide. Il avait l'impression qu'elle était inhabitée. Ses parents étaient-ils partis quelque part ? Il était debout dans la pièce à tatamis qui servait de salle de séjour. Les portes coulissantes, qui la séparaient du couloir donnant sur le jardin clôturé d'une haie de bambous, étaient grandes ouvertes. C'était l'été. Il faisait beau. Il entendait le chant des cigales qui se propageait dans l'air et qui faisait ressortir le silence d'alentour…

Je suis dans la salle à manger. Il y a une grande table rectangulaire au milieu. C'est là que nous jouions au ping-pong en famille le dimanche soir. Mon père était jeune ; ma mère était encore plus jeune et c'est elle qui jouait le mieux. Je vois tout au fond une vieille machine à laver hors d'usage, une machine avec essoreuse à manivelle. Mon regard se promène d'un endroit à l'autre de la salle à manger comme s'il l'explorait pour la première fois, semblable à celui d'un cosmonaute qui vient de marquer ses premiers pas sur la lune. Il n'y a pas le moindre bruit sauf celui des cigales qui va s'amenuisant. Tout l'espace est inondé par une éclatante luminosité d'été. Le calme irréel qui règne dans la maison et à l'extérieur me fait penser à une catastrophe qui a vidé la ville de ses habitants. J'ai peur… Tout à coup, d'innombrables petites choses brunâtres pleuvent sur le plancher, sur la grande table aussi. Je tourne les paumes de mes mains vers le ciel. Il y en a deux ou trois qui tombent dessus : ce sont des cigales mortes. Je regarde la table. Oui, ce sont des cigales qui chantaient tout à l'heure et qui ne chantent plus. Elles sont mortes. Elles sont toutes couchées sur le dos et jonchent la table. « Oui, elles sont mortes. L'été, c'est fini… », dit une voix de femme dans mon dos. Je me retourne. C'est ma mère, toute jeune, qui me sourit. Elle porte un tablier blanc comme celui que portaient toutes les mères de mon enfance, celui de Kinuyo Tanaka dans *Okâsan* (*La Mère*) de Mikio Naruse par exemple. Je suis tout petit : j'ai le corps menu de l'enfant de sept ou huit ans que je fus, alors que j'ai la conscience d'avoir le cœur d'un homme adulte. Je regarde ma mère d'en bas, en contre-plongée. Et en l'espace de quelques secondes, les yeux de ma mère se remplissent de larmes. Ses yeux sont tout rouges. On dirait qu'ils pleurent du sang. Elle demande alors à quelqu'un de lui pardonner sa faute. Je me retourne. Les cigales mortes ont disparu. Maintenant, sur la grande table rectangulaire, plusieurs flacons à saké sont couchés. Il y a aussi plein de petits bols et de petites assiettes, éparpillés. Ils sont vides pour la plupart. C'est sans doute la fin d'un repas avec des invités. Ceux-ci sont déjà partis. Je vois seulement mon père assis à la grande table. Il a une chemise blanche avec une cravate comme quand il va au travail. Son visage est en feu, écarlate. Il a bu. Il a l'air très mécontent. Brusquement, il se laisse emporter par la poussée d'une immaîtrisable colère : d'un coup de main, il balaye violemment toute la vaisselle, tout ce qu'il y a sur la grande table. Ma mère, en versant de chaudes larmes, le supplie de lui accorder son pardon. Je fonds en pleurs à mon tour. Je demande à ma mère de me dire ce qui se passe. Elle me répond que je me suis comporté en présence des convives comme un garçon affamé qui se pourlèche les babines à la vue des bons petits plats. « Il me reproche… de lui avoir fait honte… Il ne fallait pas que tu te montres gourmand… Mais ce n'est pas ta faute… C'est la mienne… Il fallait que je te donne la même chose… » Les larmes débordantes l'empêchent de parler. Sa voix est étouffée ; ses mots sont entrecoupés de sanglots. Je voudrais la prendre dans mes bras. Mais elle est trop grande. Je m'enfouis alors dans son tablier blanc et je m'écroule de tristesse, tandis qu'elle continue à être secouée par de violents hoquets.

Étranglé par des sanglots, Sen-nen fut éjecté de son sommeil. Les larmes avaient mouillé son oreiller. La housse trempée était froide comme du marbre, aussi froide que les pattes raidies d'un chien que la vie a quitté.

Il était presque midi quand il souleva son corps écrasé par l'énormité de son rêve.

# 9

Vous êtes venu combien de fois pour *Les Noces* ?

Il y a eu combien de représentations ?

Avec la dernière de ce soir, onze en tout.

Alors je serai venu onze fois avec la dernière. Je n'aurai pas manqué une seule représentation.

Vous êtes musicien ?

Non. Mais j'aurais aimé l'être.

Alors vous aimez vraiment cet opéra !

Ah oui, pour moi, c'est une des plus belles choses qui existent au monde. Ça fait partie des cinq ou six disques que j'emporterais sur une île déserte, comme on dit…

Les yeux de la caissière souriaient à travers ses lunettes légèrement teintées à monture large de couleur rouge.

Je travaille ici depuis plus de dix ans. Mais c'est la première fois que je vois quelqu'un comme vous.

Ah oui ?

Mais, tous les jours, c'est pas donné !

Elle frottait le pouce de la main droite contre l'index.

C'est vrai. Je me suis presque ruiné ! dit Sen-nen en riant. Mais ce n'est pas tous les jours qu'on peut voir et entendre cette musique. Donc, j'ai fait l'impossible… parce que ça vaut vraiment la peine…

C'est si extraordinaire que ça ?

Ah oui ! Vous croyez que c'est anormal… ce que je fais ?

Je ne dirais pas ça… Mais c'est un peu fou quand même, non ? En tout cas, je vous le dis, je n'ai jamais vu ça depuis que je travaille ici !

Elle éclata de rire.

Voici votre billet. Au quatrième rang, aujourd'hui !

Sen-nen signa son chèque qu'il poussa vers elle qui, en échange, lui tendit le billet.

Merci, madame. Je vous souhaite une très bonne journée.

Merci, vous aussi. Et bon spectacle !

# 10

À peine fini le chant de la réconciliation attendrissante de Figaro et de Suzanne unis dans la répétition exaltée de « *Faisons la paix…* », le Comte avait surgi dans la pénombre, à la recherche de la fausse Suzanne jouée par sa propre femme dont il avait été incapable, à la différence de Figaro, d'identifier la voix. Almaviva était intervenu en reprenant le motif de « *Faisons la paix* » qui, quelques instants auparavant, caractérisait le couple plébéien. Le seigneur libertin était ainsi totalement éclipsé par les jeunes amoureux. Ceux-ci, dans l'intention d'exacerber la colère et la jalousie de leur maître, simulèrent alors une scène d'amour en forçant la dose, ce qui ne manqua pas de susciter immédiatement la réaction affolée du Comte. Celui-ci cria au scandale et appela ses gens à s'assembler autour de lui pour être témoins de la félonie de son serviteur et de l'inconstance de son épouse. Le Comte s'approcha du petit pavillon placé sur la gauche de la scène : il tira d'abord Chérubin par le bras. Après le page sortirent

Barberine, Marceline, puis Suzanne dissimulée sous le vêtement de la Comtesse. Celle-ci, alors, adressa au maître en fureur sa demande réitérée de pardon : « *Perdono, perdono !* » Le Comte lui répondit par une fin de non-recevoir. Figaro, à son tour, sollicita son pardon : « *Perdono, perdono !* » Almaviva fut inflexible. Il demeura dans sa véhémence condamnatoire. Ce fut alors à l'ensemble des personnages réunis d'implorer le pardon du seigneur. Face au Comte furibond, tous, depuis Suzanne et Figaro jusqu'à Chérubin en passant par Bartholo et Marceline, s'agenouillèrent les uns après les autres. Le Comte resta inébranlable. Son exaspération atteignit le point culminant : il répéta son « *non* » catégorique six fois. C'est alors qu'apparut la Comtesse Almaviva vêtue de la robe simple et modeste de sa camériste. Stupéfaction générale. À l'intransigeance radicale de son mari, la dame noble opposa une attitude de touchante générosité. Le Comte, dès lors démasqué et confondu, s'agenouilla devant sa femme, tandis que les autres, en posture de génuflexion jusqu'alors, se levèrent doucement et d'un seul et même mouvement. Immense et total renversement. Le Comte, à genoux, en présence des autres protagonistes hiérarchiquement inférieurs, mais tous debout maintenant, implora le pardon de son épouse dans un recueillement apaisé. Il chanta sa demande de pardon en *pianissimo* en étirant au maximum la phrase musicale. Sen-nen savait que l'indication de Mozart, dans la partition, était simple et laconique : « *Andante* ». C'était une sorte de prière, une célébration silencieuse dans l'attente d'un être-ensemble nouveau. On eût dit que toute l'arrogance aristocratique s'était effacée au profit de l'apparition d'une manière d'être différente, respectueuse d'autrui. Quant à la Comtesse, elle répondit à son mari avec une délicatesse qui favorisait la réconciliation. Le soupir placé entre « *Je suis plus clémente que vous* » et « *Et je vous l'accorde* », beaucoup plus long qu'à l'ordinaire, exprimait toute l'émotion de la femme qui s'ouvrait au monde à venir.

C'est alors qu'une musique semblable à un fragment sublime d'une messe profane résonna et remplit tout l'espace du palais Garnier. Tous adhéraient à un sentiment de félicité nouvelle. Il y eut dans la salle, à ce moment-là, comme un murmure d'admiration, un doux frémissement d'émotion, un silencieux ruisseau de larmes. Puis, on n'entendit plus que des notes graves jouées lentement et *pianissimo* par l'orchestre seul : la musique était à la recherche d'un ordre nouveau… Enfin, quelques secondes après, éclata le joyeux pressentiment d'une grande fête matrimoniale.

Le rideau tomba. Une explosion d'applaudissements et d'acclamations remplit le théâtre et le transforma en une arène de liesse générale.

Quelques personnes, par-ci par-là, commencèrent à se lever et à se diriger vers les sorties, tandis que d'autres continuaient à ovationner les artistes et les musiciens de l'orchestre.

Sen-nen préféra rester assis un instant encore dans son fauteuil. Il ôta ses lunettes embuées et sortit un mouchoir d'une poche de son pantalon pour contrer les assauts d'émotion. Il leva la tête et posa son regard sur Clémence S. qui, juste au milieu des chanteurs alignés, saluait le public enfiévré pour la énième fois avec un sourire gracieux. Il y avait un air de satisfaction profonde dans sa démarche et ses gestes d'une élégance exquise. Des *bravos* brisaient l'épaisse surface des applaudissements réitérés. Des pétales de fleurs pleuvaient sur la scène. Clémence S. embrassa des yeux toute la salle. Et quand elle eut fini de remercier, en s'inclinant et en frappant des mains, les instrumentistes qui étaient restés dans la fosse d'orchestre, elle osa fixer son regard enjoué sur l'étudiant doctorant assis au quatrième rang comme si elle lui demandait de confirmer le rendez-vous proposé. Sen-nen, grisé par le trop-plein d'émotion, perturbé par ce don de regard inattendu, ne put avoir d'autre réaction que celle de lui dire, en articulant chaque syllabe, mais sans la prononcer : « *À... tou... tà... l'heure ! Dans... le... hall !* »

## 11

Sen-nen attendit une bonne demi-heure, pendant laquelle il ne cessa de tourner comme un ours en cage.

Enfin, Clémence S. accourut. Elle était en tailleur-pantalon marron foncé d'une coupe classique qui accentuait sa silhouette gracile et filiforme. Une ample écharpe vert olive lui couvrait les épaules, tandis que ses cheveux étaient enveloppés dans un foulard d'un blanc crémeux. Enfin, elle portait en bandoulière un sac-gibecière en cuir patiné et, sur son avant-bras gauche, un manteau rouge vif.

Excusez-moi, je vous ai fait attendre… Clémence, enchantée.

Elle tendit la main. La voix non chantée de l'artiste frappa le jeune homme par on ne sait quel caractère translucide et onctueux ; et, simultanément, un parfum doux et pénétrant émanant de l'apparition féminine chatouillait ses narines.

Je suis très heureuse de faire votre connaissance.

Sen-nen. Enchanté… Merci pour votre mot qui m'a fait très plaisir.

C'est plutôt moi qui vous remercie… Vous m'avez gâtée avec vos lettres… Nous allons nous poser quelque part ? Qu'est-ce que vous en pensez ?

Oui, oui, bien sûr. Avec plaisir…

Ils sortirent par l'entrée des artistes. Avant d'affronter la nuit où il gelait à pierre fendre, elle voulut mettre son manteau rouge. Le jeune homme l'aida, avec maladresse, à l'enfiler. Il endossa à son tour le sien et noua autour de son cou son écharpe rouge à rayures violettes.

Ils s'installèrent dans un bistrot près de l'Opéra. À peine avaient-ils posé leurs affaires sur une chaise inoccupée qu'ils commencèrent à parler tous deux en même temps.

Vous êtes…

C'est la première fois…

Ils se sourirent. Intimidé, le mélomane, en esquissant un geste d'invitation, s'empressa de dire :

Allez-y…

En enlevant son foulard et en découvrant ses cheveux mi-longs, Clémence continua :

Vous préparez une thèse en littérature française, mais vous aimez passionnément la musique, ah oui, là, vraiment *passionnément* (elle appuya sur ce mot), surtout les opéras de Mozart et, en particulier, *Les Noces*... Vous voyez, j'ai retenu l'essentiel (elle souriait)... Vous savez, ça ne fait pas très longtemps que je chante, je veux dire professionnellement, mais j'ai reçu de ces lettres qu'on appelle *fan letters.* Tout le monde en reçoit, je crois, dans ce milieu. Eh bien, c'est la première fois que je reçois des lettres comme les vôtres... En fait, ce ne sont pas des *fan letters.* En vous lisant, j'ai eu le sentiment que vous parliez plutôt avec Mozart, à travers moi...

L'étudiant doctorant l'écoutait sans l'interrompre. Il buvait ses paroles portées par une voix timbrée qui ne se confondait pas tout à fait avec celle de son chant, mais dont il reconnaissait parfaitement l'élasticité et la limpidité.

J'ai eu l'audace de vous écrire parce que j'ai été profondément touché, bouleversé même par votre voix et votre chant.

Merci, ça me fait vraiment très plaisir...

La voix humaine m'a toujours fasciné, je ne sais pourquoi. Mon plus lointain souvenir est un souvenir auditif. C'est celui de l'inflexion vocale de ma mère qui me chantait une berceuse traditionnelle alors que je me blottissais sans doute dans ses bras... Je distingue les gens que je connais non pas tellement par leur visage, que je ne retiens pas facilement et que j'ai même tendance à oublier, mais plutôt par leur voix... Quand, dans une conversation, on me parle d'un ami ou d'une amie, c'est d'abord et surtout sa voix que j'entends parce qu'elle est stable, presque immuable... contrairement à son visage, qui est pris dans un processus ininterrompu de fluctuations momentanées et de changements incessants. Par exemple, deux photos d'une même personne ne montrent jamais le même visage… Ce n'est pas vrai ?

Il réagit à un clignement d'yeux qui modifia tout à coup l'équilibre du visage de la femme assise en face de lui et qu'il interpréta immédiatement comme une amorce de réplique, comme un signe de désaccord.

Vous voulez dire quelque chose ?

Non. J'allais dire tout simplement que je n'y avais jamais réfléchi. La voix qui ne change pas et le visage qui est soumis à un changement perpétuel…

Le garçon arriva pour la commande. En posant négligemment la carte, il leur demanda s'ils désiraient manger. La chanteuse d'opéra répondit qu'elle prendrait juste un jus d'orange. L'admirateur de Suzanne, lui, demanda un café crème. Le garçon repartit sans rien dire.

Le jeune homme regarda longtemps l'artiste avant de poursuivre.

Euh… qu'est-ce que je disais ?

Vous disiez que vous reconnaissez les gens par leur voix plutôt que par leur visage…

Ah oui, c'est ça… Je voulais vous dire combien j'aime le timbre de votre voix, que je reconnaîtrai désormais entre mille !

C'est très gentil… Ma voix, c'est une voix comment ?

C'est difficile de parler de l'émotion qui vient d'une voix… Mais je dirais que votre voix a du corps, une texture très serrée, très homogène, tout en ayant une grande élasticité… Elle est onctueuse, votre voix…

Et vous pensez que ma voix convient à Suzanne…

Ah oui, la Suzanne telle que je l'imagine a votre voix ! Vous l'habitez complètement… ou c'est elle qui vous habite… Je ne sais pas comment dire… C'est troublant, vous savez…

Il parlait posément. Mais il y avait, dans le ton de sa voix qu'il ne haussait pas pourtant, quelque chose de solide et puissant, une énergie tranquille révélatrice d'une conviction intérieure. Puis il y eut un silence qu'il s'empressa de combler.

*Les Noces de Figaro*, c'est pour moi un miracle musical et littéraire… Je l'ai découvert quand j'étais lycéen. J'avais dix-sept ans… Depuis, je suis habité par cet opéra. Et un jour, j'ai découvert la version de Karl Böhm. Là, j'ai été tout de suite séduit par la voix d'Edith Mathis, qui chantait Suzanne…

Ah oui, c'est une très grande référence… pour toutes les sopranes qui veulent devenir Suzanne… Et vous, vous êtes musicien, vous aussi ? Vous faites de la musique ?

Non, j'aurais aimé devenir musicien. Le temps du désir et le temps de la capacité de répondre à ce désir ne coïncident que trop rarement. Dans mon cas, c'était trop tard quand la passion de la musique s'est allumée chez moi et a enflammé la moitié de mon cœur.

La moitié ?

Oui, la moitié. Parce que l'autre moitié s'est protégée contre le feu de la musique. Elle a été occupée par une autre passion, celle du français et de la littérature bâtie par cette langue. À défaut d'avoir un instrument adapté à mon désir, j'ai fait du français un instrument particulier, si j'ose dire… J'ai appris le français comme on apprendrait à jouer d'un instrument. Le français, c'est le substitut de l'instrument de musique que je n'ai pas eu… Je suis un musicien raté…

Il riait.

Votre langue, c'est…

Le garçon revint avec les boissons commandées sur son plateau. Il posa, sans rien dire, le jus d'orange devant l'artiste et le café crème devant son admirateur. La jeune femme, en se tournant vers le serveur, le remercia d'une voix discrète mais sonore qui perçait le brouhaha ambiant.

Votre langue donc…

C'est le japonais. Apprendre le français, une langue très différente qui n'a rien à voir avec le procédé des significations idéographiques, ça a été un labeur, comme le chant lyrique a dû l'être pour vous… Mais la difficulté ne m'a jamais fait peur parce que je savais que la maîtrise d'un instrument était quelque chose d'infiniment difficile et que, par conséquent, je n'avais pas le droit de me plaindre… Je me demande si je pourrai écrire un jour dans cette langue, écrire une *œuvre*, j'entends, comme vous êtes arrivée, vous, à vous exprimer par votre instrument, dans et par votre voix… Excusez-moi, je ne fais que parler… Moi qui voulais vous poser des questions !

Non, non, pas du tout ! C'est passionnant, ce que vous me racontez là…

Pendant tout le temps que Sen-nen laissait libre cours aux mots qui lui venaient aux lèvres, Clémence le regardait d'un air médusé comme un enfant tout ouïe pour l'histoire racontée par sa mère au moment du coucher.

Sen-nen changea de sujet.

Ce n'est pas la première fois que vous chantez Suzanne ?

Non. Mais c'est comme si c'était la première fois… Vous savez, quand on chante, on est tellement absorbé dans la partition, tellement occupé à surmonter les difficultés techniques, on a du mal à penser à tout ce qui est extérieur à la musique… Mais à un moment donné, on doit s'intéresser aux abords de la musique, ce qui n'est pas toujours évident pour un musicien. Cette fois, j'ai eu la chance de travailler avec un metteur en scène qui m'a fait vraiment découvrir l'œuvre. Grâce à lui, j'ai le sentiment d'avoir pénétré dans le monde des *Noces*.

Ça se voyait et ça s'entendait…

Il faillit l'appeler par son prénom. Empêché par un brusque mouvement de retenue, il marqua un imperceptible moment d'hésitation tout en regardant le visage placide de la jeune artiste. D'instinct, elle devina ce qui causait le trouble infime.

Vous pouvez m'appeler Clémence…

Sen-nen rougit, frissonna même, car il n'avait jamais entendu ce prénom féminin prononcé d'une manière aussi souple, aussi aérienne. La voyelle nasale, résonnant longtemps comme si elle avait été émise dans un énorme coquillage univalve, lui caressait l'oreille.

Ah oui ? Alors, appelez-moi Sen-nen ou Sen tout simplement... Ça s'écrit S-E-N, trait d'union, N-E-N, et ça se prononce « sèn-nèn ».

D'accord. « Sen » est peut-être plus facile pour moi. Ça veut dire quelque chose, « Sen » ?

Mon prénom, en fait, c'est « Sen-nen », qui veut dire « mille ans ». Mes parents m'ont donné ce prénom en souhaitant que j'aie une longue vie... Mille ans de vie ! Vous vous rendez compte ? Là-bas, il y a un proverbe qui dit que les grues vivent mille ans, les tortues dix mille ans... Que ce soit mille ans ou dix mille ans, c'est la métaphore de l'infini, comme « *mille e tre* » de *Don Giovanni*... Je suis donc comme une grue ! Je sais qu'en France ce n'est pas un oiseau très apprécié. D'ailleurs, le mot peut signifier autre chose de pas très sympathique...

Sen-nen adressa à Clémence un sourire de connivence.

Alors qu'au Japon c'est une figure emblématique. C'est un oiseau très noble qui apparaît souvent dans les contes populaires, dans la peinture aussi... et dans l'origami...

Sen-nen, mille ans... C'est beau... Mais « mille ans », ça fait penser aussi à la ville de la Scala !

Oui, bien sûr… Et ça sonne aussi comme un prénom croate, n'est-ce pas ?

C'est ce que j'allais dire !

Quand j'étais collégien, une troupe d'opéra slave est venue à Tokyo pour représenter *Eugène Onéguine* entre autres. Parmi les chefs d'orchestre, il y avait un Croate qui s'appelait Milan Horvat. Je garde un souvenir impérissable de cet opéra qui raconte une histoire d'amour inaboutie. Je peux donc me faire appeler « Mille-Ans/Milan » aussi !

Je vous appellerai « Sen », d'accord ?

Très bien… Je reviens donc à votre Suzanne qui est tout simplement merveilleuse… Dès le premier jour, j'ai succombé à son charme. De toutes les femmes mozartiennes, c'est Suzanne que je préfère : elle est noble et douce comme Pamina, douce et pétillante comme Zerline. Zerline est une sœur de Suzanne, pour moi. Ah ! quelle tendresse quand elle demande à Masetto de la frapper pour se faire pardonner de son inclination passagère pour Don Giovanni ! C'est irrésistible ! Mais c'est quand même Suzanne que je préfère…

Sen-nen s'interrompit comme s'il se souvenait tout à coup de quelque chose d'important.

Vous n'avez pas faim, Clémence ? Vous avez mangé avant le spectacle ?

Sen-nen n'était pas satisfait de la manière dont il venait de prononcer le prénom de la jeune femme. Il lui semblait que la langue lui avait fourché…

Non.

Moi non plus. Si on partageait quelque chose, une pizza par exemple ?

Oui, bonne idée !

Une pizza *pescatore*, ça irait ?

Oui.

Avec un verre de vin rouge ?

Oui, pourquoi pas ?

Sen-nen appela le garçon. Celui-ci prit la commande et disparut dans la clameur du bistrot. Un quart d'heure après, il leur apporta une pizza brûlante accompagnée de deux verres à moitié pleins. Il ajouta, tout en répondant aux clients d'une table voisine qu'il serait à eux tout de suite, qu'il terminait son service et qu'il souhaitait donc que les consommations fussent réglées. Immédiatement, Clémence sortit un billet de cinquante francs, faisant non de la tête, lançant à son compagnon un regard souriant.

C'est moi.

Le garçon sortit l'addition de la petite poche de son gilet, la déchira à moitié et rendit la monnaie à Clémence en la remerciant, puis s'empressa d'aller voir les voisins impatients.

Clémence cherchait ses mots.

Oui, vous avez raison. La musique que Mozart donne à Suzanne est tout à fait extraordinaire, quand on pense que ce n'est qu'une paysanne. Par rapport à la Comtesse, qui garde des accents du genre *seria*, Suzanne est un personnage beaucoup plus complexe. Elle a en elle une certaine noblesse qui n'est pas du tout la même que celle de Rosine… Mais, en même temps, elle est fondamentalement gaie et joyeuse, d'une gaieté franchement populaire, bon enfant…

Sen-nen leva son verre et porta un toast :

Toutes mes félicitations pour ce grand succès !

Merci beaucoup ! C'est très gentil.

Ils trinquèrent. La conversation se poursuivit. Elle déborda le terrain de la musique au lieu de s'y cantonner. Une douce et agréable familiarité, dont ils étaient sans doute eux-mêmes étonnés, s'était installée entre les deux interlocuteurs qui se connaissaient à peine. Ils cheminaient peu à peu vers des sujets personnels. Ils parlèrent, sans crainte ni méfiance, de leurs études passées ou présentes, de leur travail quotidien, de la discipline qu'ils s'imposaient, des voyages qu'ils avaient faits, de ceux qu'ils aimeraient faire, de leurs projets professionnels immédiats et lointains, de leur famille, de l'éducation qu'ils avaient reçue, de leurs souvenirs d'enfance, de leurs lectures préférées, de leurs films favoris, des concerts qu'ils avaient aimés, des expositions qui les avaient enchantés, de leurs habitudes du matin et du soir, de leur cuisine préférée, de leur goût commun pour la promenade et la déambulation, des jardins publics où ils aimaient aller par un temps radieux, de leur attitude devant les religions, des animaux qu'ils avaient eus, du chagrin qu'ils avaient éprouvé à leur mort, de leur pays, des villes et des villages qu'ils avaient visités ou habités plus ou moins longtemps, de leur langue maternelle et des langues qu'ils parlaient et qu'ils lisaient, et encore de bien d'autres sujets… Ils se laissèrent guider par leur désir secret et naturel de se rapprocher, de se connaître, de s'ouvrir à un cœur aimant, de s'épancher avec une âme sœur. Le jeune homme était grisé par la présence, en face de lui, de la jeune femme dont l'aura le plongeait dans le foisonnement des images enchanteresses de Suzanne ; la jeune femme, de son côté, était fascinée par la soudaine apparition devant elle d'un jeune homme affable venu d'autres cieux engagé à un point inimaginable dans l'appropriation d'une langue autre que la sienne, à ce point fasciné par la musique de Mozart, à ce point séduit par le personnage avec qui elle s'était efforcée de s'identifier durant des mois et des mois de travail personnel et de répétitions d'abord et pendant des semaines de représentations ensuite.

Lorsqu'ils en vinrent à évoquer leurs préférences musicales, Clémence fredonna discrètement tout le début de *Bonne nuit* de Schubert : « *Étranger je suis arrivé, / Étranger je repars...* » « C'est bouleversant ! », dit-elle. Quant à Sen-nen, il parla de son goût pour la récitation de textes littéraires et, de but en blanc, commença à dire toute la réplique de *Dom Juan* sur ses conquêtes amoureuses. Ayant fini de déclamer le morceau de bravoure, il ajouta qu'il avait été jadis fasciné par l'extraordinaire performance de Jean Vilar dont il avait écouté l'enregistrement plus d'une fois pour étudier l'œuvre de Molière et qu'il conservait toujours précieusement dans une vieille cassette audio. Clémence, impressionnée, balbutia que c'était là de la musique également d'une certaine façon…

Ainsi se prolongeait leur conversation. Le temps avançait en s'étirant ; il effaçait, en s'écoulant, la trace de son écoulement. Dans un bistrot parisien près de l'Opéra, blotti dans un pli de la ville immense, on voyait un homme et une femme occuper une petite table et parler, autour d'une pizza entamée, sans se sentir obligés de compter les heures. Ils accueillaient en eux la présence bienveillante de l'autre et l'appréciaient comme un feu de bois qui vous réchauffe par un temps de grand froid. Les bruits du café et du dehors — paroles sourdes et confuses des clients, cris des garçons, tintamarre provocateur de quelques rôdeurs nocturnes, grondement étouffé et intermittent de la circulation des automobiles, tout cela se retirait, s'effaçait de la conscience des deux jeunes gens qui s'absentaient du monde pour entrer de plain-pied dans leur monde à eux où les mots semblaient avoir retrouvé leur force de persuasion première.

Il se faisait tard. La nuit raréfiait les ombres, étendait son empire, éteignait une à une les fenêtres, sans que les deux interlocuteurs fissent attention à son avancée silencieuse. La plupart des groupes de fêtards étaient partis. Les chaises libérées en désordre, les tables abandonnées, malpropres et même un peu dégoûtantes avec des miettes de pain répandues, des verres vides ou à moitié remplis de vin, des tasses à café avec des morceaux de sucre éparpillés, indiquaient qu'une longue soirée touchait à sa fin. Clémence murmura :

C'est très agréable de parler comme ça... Mais il va falloir s'arrêter...

Oui. Je vous ai retenue trop longtemps, vous devez être épuisée...

Oui, un peu, mais ça m'a fait un immense bien de parler avec vous... C'est étrange, ce sentiment de bien-être, alors qu'on se connaît à peine... Je n'ai pas vu le temps passer, vous savez...

Moi non plus. C'est toujours trop court, les bons moments... Maintenant, il est vraiment tard...

Sen-nen remarqua que Clémence n'avait pas fini son verre et qu'il y avait sur le bord une empreinte rouge.

Excusez-moi, vous pouvez m'attendre ? Je vais me laver les mains.

Dans les toilettes, il s'aspergea le visage d'eau fraîche. Puis il se regarda dans la glace et respira profondément.

Lorsqu'il revint, il remarqua qu'elle avait remis son écharpe de mousseline et le foulard qui faisait ressortir la belle ligne ovale de son visage. Elle était assise les jambes croisées. Son regard était dirigé vers le plafond comme celui d'une personne absorbée dans ses pensées.

On peut y aller ?...

Il jeta un coup d'œil sur le verre de Clémence.

Ah, vous n'avez pas fini...

Sa voix vibrait, trépidait imperceptiblement. Et sans attendre la réponse de Clémence qui souriait d'un sourire mystérieux, Sen-nen, debout, saisit le verre. Il voulut le porter à sa bouche, mais quelque chose d'imprévisible survint. Sa main, soudainement, se mit à trembler comme une feuille. Le malheur voulut qu'elle renversât le fond de verre sur le pantalon de Clémence. Celle-ci, machinalement, écarta les jambes. Mais trop tard, la flanelle s'imbiba de vin. Une tache rougeâtre se propageait sur sa cuisse gauche.

Oh, pardon ! Qu'est-ce que je suis maladroit ! s'écria le jeune homme, troublé. Votre pantalon est tout taché… Je suis désolé !

Clémence s'empressa de prendre la salière, en ôta le capuchon et versa du sel sur la tache. Au même moment, Sen-nen sortait de sa poche un mouchoir propre pour le passer à l'artiste.

Ah, c'est comme ça qu'on s'y prend… Excusez-moi, vraiment…

Ne vous inquiétez pas, ce n'est rien. Ça partira… Je sais ce qu'il faut faire…

Clémence étalait le sel précautionneusement avec son index, tandis que Sen-nen, interdit, gêné, ne savait quoi faire. Il chuchota enfin :

Excusez-moi… Je suis vraiment…

Ils attendirent quelques minutes, le temps que la tache séchât, aidée par la chaleur de la peau.

Enfin, ils se levèrent et sortirent du bistrot.

Vous allez dans quelle direction ?

Je vais prendre un taxi devant l'Opéra.

D'accord. Alors, je vous accompagne jusqu'au taxi. Après, je vais marcher un peu pour me rafraîchir… J'ai chaud, vous savez, à cause de ma bêtise…

Ils rirent en même temps.

Ils arrivèrent à la station de taxis. Sen-nen demanda à Clémence s'ils pourraient se revoir.

La jeune femme sortit de son sac-gibecière un stylo et son calepin. Elle griffonna quelques lignes et déchira la page pour la donner au jeune homme.

Là, je m'absente de Paris pendant quelques mois. Mais quand je serai de retour, je serai heureuse de vous revoir.

Vous allez chanter ailleurs ?

Oui, en Allemagne et en Suisse.

Pas à Milan ? demanda Sen-nen en arborant un doux sourire.

Non, pas encore ! répondit Clémence en lui rendant son sourire.

Quel rôle ?

D'abord Léonore de *Fidelio*, ensuite Fiordiligi.

Une femme fidèle et une autre infidèle !

Eh oui !

Ils rirent de nouveau ensemble.

Alors, à bientôt !

Clémence serra la main de Sen-nen, puis elle ajouta :

Je vous embrasse.

À bientôt ! Merci pour cette soirée ! Vous avez une magnifique écharpe, dit Sen-nen à brûle-pourpoint.

Ah oui ? Merci… j'ai toujours quelque chose autour du cou, je protège ma gorge… répondit

Clémence dont le sourire cachait mal la rougeur subitement propagée sur son visage.

Sen-nen sortit alors de la poche intérieure de sa veste une enveloppe blanche qu'il tendit à Clémence.

C'est ma quatrième lettre… Ce soir, j'ai la chance de vous la donner directement. Il y a quatre actes. Il y a donc quatre lettres, dit Sen-nen en rougissant à son tour.

Un taxi arriva. Dès que Clémence s'y installa, il démarra et disparut vite dans la nuit profonde de Paris. Sen-nen crut apercevoir à travers la vitre arrière de la voiture une main gantée de blanc lui faire signe.

## 12

Deux mois passèrent. Plusieurs lettres s'écrivirent et s'échangèrent entre la femme qui était partie pour l'Allemagne et l'homme qui était resté à Paris. Et ce qui devait arriver arriva. Sennen déclara à Clémence, après bien des atermoiements, que la soirée passée ensemble après la dernière représentation des *Noces de Figaro* était inoubliable et que c'était là sans nul doute les heures les plus intenses et les plus heureuses qu'il lui avait été permis de vivre de toute son existence, qu'elle était constamment présente à son esprit et que sa conscience était maintenant entièrement occupée par ses images, qu'elles fussent de Suzanne dans ses multiples apparitions ou d'elle-même telle qu'elle s'était présentée à son regard dans ce merveilleux havre offert par le bistrot de l'Opéra. L'homme confia à la femme qu'elle était devenue pour lui un être unique, incomparable, et qu'en se rappelant ses yeux clairs il croyait y voir son avenir confondu avec le sien.

Clémence fut troublée par le contenu de la longue missive qui montrait, dans une écriture appliquée, ordonnée, presque calligraphiée, toute la minutie, toute l'attention du scripteur soucieux de réaliser un bel objet. Elle hésita à répondre. Mais, profondément touchée par la sincérité vibrante qu'elle percevait dans les mots choisis et agencés, elle ne résista pas longtemps à la tentation de prendre la plume.

L'artiste lyrique ne cacha pas au jeune homme le trouble et le plaisir qui s'étaient emparés d'elle à la lecture des phrases brûlantes de sa lettre. Elle brava même sa timidité naturelle pour aller jusqu'à dire qu'elle avait été sensible, elle aussi, à la qualité de leur unique rencontre, que le prénom *Sen*, qu'il lui arrivait de prononcer afin d'en goûter la sonorité, s'érigeait maintenant devant elle en lettres majuscules imposantes. Son poids ne cessait, disait-elle, d'augmenter au point de devenir étouffant. Enfin, elle osa ajouter que son cœur lui semblait désormais trop petit pour porter une syllabe contenant une durée de mille ans et que c'était là un secret qu'elle avait jusque-là jalousement gardé pour elle seule.

Le jeune homme avait devant lui un avenir incertain. Il avait une thèse en lettres à achever, à la suite de quoi il briguerait une place d'enseignant quelque part, probablement dans son pays qu'il regagnerait normalement quelque temps après et où l'attendaient sans mot dire ses parents vieillissants.

La jeune femme, une étoile montante de l'art

lyrique, s'était lancée dans la perpétuelle et impitoyable concurrence de la profession musicale. Elle était à ses débuts, au commencement d'une carrière qu'elle espérait tout naturellement brillante et longue. Elle avait un répertoire à élargir, un renom à conquérir, une discipline de fer qu'elle devait s'imposer pour cela. Par moments, bien sûr, le rêve d'une vie de famille, d'un foyer heureux, d'un bonheur conjugal lui frôlait l'esprit. À la vue de l'innocence d'un regard d'enfant, au contact d'un visage de bébé, elle se défendait mal contre le charme de la maternité. Mais elle était encore jeune. L'attrait caressant et chatoyant d'un avenir prometteur qui durerait indéfiniment l'emportait toujours sur l'inquiétude vague qui ne disait pas son nom.

Sen-nen crut voir dans sa rencontre avec Clémence l'événement de sa vie, un événement absolu. Cela voulait dire qu'il ne se produisait qu'une fois. Une deuxième fois n'existait pas. Il était animé par le sentiment de vivre quelque chose d'aussi miraculeux que la naissance d'un enfant, dépendant de la rencontre aléatoire mais unique entre un spermatozoïde et un ovule.

Clémence était consciente, elle aussi, du caractère exceptionnel de sa rencontre avec le jeune homme venu d'un ailleurs lointain. Elle n'avait en effet jamais éprouvé, avant l'apparition soudaine de ce passionné de Mozart, le sentiment d'une entente aussi paisible où son cœur s'ouvrait sans entrave au désir d'épanchement de l'autre, tout comme deux instrumentistes jouant un duo échangeraient des regards de connivence dans une écoute fusionnelle, réciproque, souriante de leur propre exécution. Elle essaya alors d'imaginer sa vie qui se déroulerait en harmonie avec celle de Sen-nen, qui se passerait dans une foisonnante conversation où son existence s'unirait à la sienne en vertu des passions communes. Mais quelques secondes après, elle se faisait violence pour écarter cette possibilité comme faisant obstacle à sa carrière de musicienne confirmée. Elle regretterait toute sa vie d'avoir sacrifié l'art, le fruit précieux de tout son effort soutenu, au charme trompeur de l'amour fugitif.

Sen-nen essaya d'imaginer une vie qui leur serait possible, qui leur permettrait de ne pas briser le lien fragile à peine établi. Pourquoi ne pas commencer à travailler dans son pays, puis l'inviter à vivre auprès de lui tout en gardant sa place conquise dans le monde de la musique ? Ou bien, pourquoi ne pas la laisser là où elle était, dans cette capitale de l'Art où elle aurait toutes les chances de s'épanouir ? Auquel cas, il la rejoindrait le plus souvent possible en surmontant les difficultés d'ordre matériel… Mais loin des yeux, loin du cœur, se dit-il. Comment deux êtres vivant dans deux villes aussi éloignées l'une de l'autre géographiquement aussi bien que culturellement arriveraient-ils à construire quelque chose qui ressemblerait à une vie commune ? Sans doute se reverraient-ils chaque fois avec plaisir. Mais ce plaisir s'émousserait petit à petit, toujours balayé par d'autres plaisirs plus présents, plus immédiats, plus intenses. Sans doute feraient-ils l'amour avec ardeur à chaque occasion de retrouvailles. Mais l'amour physique, constamment détourné et dévié par des séductions nouvelles, des tentations pressantes, perdrait de son éclat, de son attrait, tôt ou tard.

Cependant, un sentiment intense, puissant, indomptable naissait chez Sen-nen et grandissait de jour en jour, emportant tout son être comme un ouragan impétueux vers un avenir dont il ne voyait pas le moindre contour. Mais au moment même où il faillit succomber à cet orage intérieur, une autre voix s'éleva et s'imposa avec une force désarmante. Elle faisait voir la réalité telle qu'elle se présentait objectivement. Ne pas l'écouter signifiait se déshonorer, s'avilir. L'aveuglement fut stoppé. L'amour capitula.

Un soir, environ trois mois après leur rencontre au bistrot de l'Opéra, Sen-nen se décida à écrire à Clémence pour la dernière fois. Il mit en marche son magnétophone. C'était la face B de la seconde cassette des *Noces de Figaro.* Quelques instants après, Edith Mathis, sous la baguette lente et mesurée de Karl Böhm, se mit à chanter « *Deh, vieni, non tardar, o gioia bella…* ». Sa voix de sirène était comme une lance qui lui transperçait la poitrine. La plaie était ouverte, elle saignait. Il arrêta la musique.

Il commença enfin à écrire la lettre. Il était neuf heures passées. Il y décrivit l'orage qui l'avait assailli, le tourbillon qui avait agité son cœur, la tempête qui s'était abattue sur son esprit, le tourment qui avait accablé son cœur. Il y détailla avec toute la sincérité dont il était capable ses certitudes présentes et ses doutes irréfragables sur l'avenir. Il lui confia sans fard ses velléités, ses hésitations, ses oscillations. Il lui fit enfin part de sa peur, de la peur de devenir la cause et l'origine d'une déception probable qui la rendrait malheureuse, insatisfaite d'elle-même, qui la ferait regretter de s'être trompée de chemin.

Les feuilles A4 se remplissaient à vive allure. Les mots venaient, les phrases coulaient. Sen-nen était éloquent comme un violoncelliste qui joue de toute son âme en embrassant son instrument. Il n'y avait presque pas de ratures ni d'ajouts. Il était le premier à s'en étonner. Lorsqu'il eut posé sa dernière phrase, il était presque six heures du matin. Une lueur matinale, encore faible mais déjà annonciatrice des agitations de la vie, pénétrait par la petite fenêtre de la chambre.

Il signa la lettre, la mit dans une enveloppe. Il écrivit dessus le nom et l'adresse de la destinataire. Il affranchit la lettre et la posta. Au moment où il lâcha l'enveloppe, il se sentit saisi d'une sourde oppression de poitrine.

Une dizaine de jours après, il reçut un *mot* de l'artiste. Un seul mot, écrit en diagonale, occupait le centre d'une feuille de papier à lettres d'un hôtel de Zurich : « MERCI. » Une auréole, rétrécissant et faisant très légèrement gondoler le papier, entourait les cinq lettres majuscules imbibées, puis séchées. Au bas de la feuille étaient posées les initiales C.S., suivies de deux mots : « Avec amour ».

C'était tout.

Ainsi, les deux êtres se perdirent de vue, se séparèrent sans même se donner l'occasion de se dire au revoir de vive voix, comme deux comètes chevelues, après s'être croisées quelque part dans la galaxie, s'éloignent l'une de l'autre et disparaissent finalement à jamais dans les ténèbres de l'univers.

# APRÈS LE SPECTACLE

L'homme âgé se lève pour fuir l'agitation du public enfiévré. Lorsqu'il se plante près de la sortie face à la statue de Rameau et à celle de Lully, il remarque qu'il y a une chaise égarée juste à côté de l'imposant poste d'accueil en bois massif rouge sombre. Il s'y assoit en attendant. Ses yeux errent d'un pilier à l'autre, d'une voûte à l'autre, d'un réverbère à l'autre, comme ceux d'un somnambule. Il est encore dans l'émotion suscitée par la scène ultime ; et cela le ramène une trentaine d'années en arrière.

Les acclamations finies, les portes s'ouvrent les unes après les autres pour éjecter la foule. Un brouhaha s'échappe brusquement. Une cacophonie de bruits divers lui agresse les oreilles. Instinctivement, il ferme les yeux comme si le calme se trouvait derrière les paupières. Quelques minutes après, lorsque la clameur de fin de spectacle s'est évaporée, il entend, au-delà du battement régulier de ses tempes, le bruit sec et sonore de chaussures sur le sol en marbre. Il rouvre les yeux. Clémence est là, debout, comme sortie d'un songe, le regardant avec un sourire lumineux.

Ça va ?

Oui, oui, répond Sen, je me reposais un peu en t'attendant. C'était magnifique. Bravo pour le travail accompli ! Évidemment, ça m'a rappelé beaucoup de choses…

Il parle très bas, comme si sa voix était étouffée par un poids écrasant. Il veut se relever, mais au moment où il tente de le faire, une douleur, semblable à une décharge électrique, lui traverse le dos. Il se rassoit.

Ça va ? demande Clémence.

Elle lui tend la main.

Merci.

Sen met sa main droite sur ses reins comme quelqu'un qui souffre d'une douleur lombaire chronique et qui, en marchant, protège son dos machinalement.

On va prendre un verre quelque part ?

Volontiers. La dernière fois, il y a vingt-neuf ans, nous sommes allés au bistrot de l'Opéra tout près d'ici… On peut y retourner… Il existe toujours.

Pourquoi pas ?

Il faut que tu reprennes ce que tu disais sur *Vertigo*…

Ah oui, c'est vrai, on parlait de ça…

L'ancienne artiste lyrique enfile le manteau qu'elle porte sur le bras.

Ton manteau était d'un rouge vif, éclatant… Je m'en souviens…

Toi, tu avais un loden…

Eh oui. Je l'ai mis longtemps, jusqu'à l'usure. D'ailleurs, je l'ai toujours, mais je ne le mets plus.

Ils sortent par l'entrée des artistes comme autrefois. Les pas tranquilles, un peu traînards, de l'un et de l'autre, résonnant dans le vide du plafond élevé de l'Opéra, leur rappellent à l'un comme à l'autre la marche commune, timide et hésitante, qu'ils ont entamée jadis l'un à côté de l'autre vers le lieu de leur première et unique rencontre.

Ils arrivent au bistrot. Ils s'arrêtent un moment devant l'entrée vitrée qui reflète leur image comme une ombre fantomatique, rescapée du gouffre du temps. Sen ouvre la porte, fait deux ou trois pas en avant et se retourne pour la maintenir et laisser s'introduire Clémence dans la salle moyennement encombrée. Ils se dirigent, sans se consulter, vers la table qui les a accueillis trois décennies auparavant. Même espace, même lumière orange, mêmes murs mais repeints plusieurs fois certainement, mêmes tables et mêmes chaises sans doute… mais pas les mêmes garçons ni les mêmes clients bien sûr, sauf eux qui reviennent de loin, comme des revenants justement… Tous deux sont troublés par le caractère inaltérable du lieu et des objets, qui fait un contraste violent avec la configuration des clients et des passants perpétuellement dissemblables.

On dirait que rien n'a changé, dit l'un.

C'est ce que j'allais dire, répond l'autre.

Ils sont assis face à face. En silence, ils se regardent dans les yeux pendant un long moment. Sen croit voir dans le regard de l'autre quelque chose de miroitant, une montée d'émotion étouffée, une effusion de larmes endiguée.

Alors, *Vertigo* de Hitchcock ?

Un garçon très jeune, mais déjà parfaitement dans le style du métier, vient prendre les commandes. Sen demande un vin chaud, Clémence une camomille.

Oui, j'ai évoqué *Vertigo* parce qu'il m'est venu à l'esprit tout naturellement en pensant à ce qui nous arrive… Qu'est-ce que *Vertigo*, au juste ? C'est une étrange histoire d'amour. Scottie, un ancien inspecteur de police acrophobe joué par James Stewart, rencontre deux femmes. La première s'appelle Madeleine. C'est la femme qu'il surveille à la demande de son mari, un vieil ami qui sait que Scottie est acrophobe. Celui-ci, à force d'observer Madeleine de près, finit par s'éprendre d'elle. Au milieu du film, Madeleine monte au sommet d'une église. Mais Scottie, à cause d'un violent vertige, ne peut pas la suivre. Tout fait donc croire à Scottie que Madeleine s'est suicidée en se jetant du haut du clocher. C'est alors qu'il rencontre la deuxième femme, Judy, qui est le sosie de Madeleine.

L'une est blonde, l'autre brune.

Exactement. C'est Kim Novak qui joue les deux femmes. Scottie découvre à la fin que

Madeleine n'était pas Madeleine, la femme de son vieil ami, et que Judy, déguisée en Madeleine, se faisait passer pour elle afin de simuler le suicide de Madeleine. Son vieil ami, le jour du prétendu suicide de la fausse Madeleine jouée par Judy, attendait en haut du clocher avec le cadavre de la vraie Madeleine pour le lancer dans le vide. Scottie apprend donc toute la vérité et, en même temps, il se délivre de son acrophobie. C'est ça, l'histoire.

C'est un film troublant…

Très.

Le garçon apporte la camomille et le vin chaud avec une rondelle d'orange accrochée sur le bord du verre. Immédiatement, Sen paie l'addition, tandis que Clémence esquisse le geste de sortir son porte-monnaie de son sac à main.

Cette fois, c'est moi, dit Sen en souriant.

Clémence acquiesce.

La dernière fois, tu avais une gibecière en cuir patiné…

Ça alors, comment peux-tu te souvenir de tels détails ?

Puis ils reviennent au film de Hitchcock.

*Vertigo*, c'est en fin de compte l'histoire d'un homme qui apprend qu'il a aimé une femme qui n'a jamais existé. La femme qu'il a aimée est physiquement la même que celle qui s'est fait passer pour elle. Mais ce sont deux personnes différentes… Ce qui est troublant, c'est qu'il doit affirmer simultanément une chose et son contraire : c'est la même femme et ce n'est pas la même femme. Scottie découvre que Judy, c'est Madeleine. Il y a une scène magnifique : Scottie essaie de reconstituer Madeleine à partir de Judy : il lui demande de se teindre les cheveux, de s'habiller comme Madeleine, de se coiffer comme Madeleine, etc.

C'est une tentative désespérée…

Face à Judy, Scottie voit Madeleine s'éloigner et disparaître définitivement dans le néant du passé. Il est saisi par ce sentiment terrible et affolant d'avoir aimé un fantôme, une absente… Quand je t'ai vue à l'entracte, le souvenir de *Vertigo* m'est revenu brusquement. Tes deux apparitions devant moi, l'une d'il y a vingt-neuf ans, l'autre d'aujourd'hui, m'ont fait penser aux deux apparitions de Kim Novak devant James Stewart… C'est qu'elles sont à la fois identiques et profondément différentes… malgré et à cause de leur éloignement dans le temps…

L'homme et la femme se cloîtrent un moment dans un mutisme rêveur où chacun semble être absent de soi-même.

Puis ils reviennent à eux et glissent vers leurs passés respectifs.

J'étais en Suisse, à Zurich, quand tu m'as envoyé ta longue lettre… J'ai été bouleversée… C'était tellement généreux, tellement attentionné que j'en ai pleuré… Je voulais t'écrire longuement pour te dire ce que j'avais sur le cœur. Mais je n'ai pas pu. Je travaillais. Je chantais, je chantais, je chantais et je n'ai pas pu te dire autre chose qu'un *merci* bien maigre, squelettique… J'ai caressé un rêve à un moment donné, comme n'importe quelle jeune femme aurait fait dans cette situation-là. Mêler ma vie à la tienne… Mais le destin en a décidé autrement. Tout s'opposait à ce que nos vies se fondent, marchent l'une à côté de l'autre… J'étais profondément triste au début, mais le travail a fait diversion à ma tristesse. Et bientôt je me suis laissé emporter par les choses de la vie qui remplissent le temps jour après jour.

Et tu t'es mariée.

Oui, quelques années après. Tu sais, une femme de trente-cinq ans, qui vit seule, qui est contente de son travail, se demande un jour ou l'autre si elle est prête à vieillir seule ou si elle veut fonder un foyer, avoir des enfants. En ce qui me concerne, je n'ai pas résisté à la tentation d'une vie de famille rangée, de la maternité… J'ai rencontré un homme d'affaires gentil et cultivé, comme je te l'ai dit… Tu peux imaginer la suite…

Tu as donc eu des enfants ?

Oui, deux, répond Clémence sur un ton jovial de jeune fille. Tu veux voir des photos ?

Elle sort de son portefeuille deux petites photos en couleurs.

Mon fils et ma fille.

Sen cligne des yeux, mais quelques secondes après, il ôte ses lunettes pour chausser sur son nez une autre paire à monture noire qu'il sort de la poche intérieure de sa veste.

Et tu me disais que finalement tu avais dû arrêter de chanter…

Oui. J'ai tenu bon pendant quelques années… Mais s'occuper des enfants, concilier la vie de famille avec le rythme d'une artiste lyrique pleinement engagée… c'était une chose impossible à réaliser, un équilibre inatteignable… pour moi en tout cas…

Je t'ai suivie pendant quelque temps dans ton parcours, qui me semblait sans fautes… Puis, un jour, je me suis rendu compte que ton nom avait disparu…

Je me suis retirée et je me suis consacrée à ma famille tout en donnant des leçons de chant chez moi. Après, c'est le schéma classique. Quotidien tranquille et stable pendant plusieurs années qu'on désigne peut-être par le mot béatement banal de bonheur, puis trahisons, enfin divorce et tout le cortège que ça entraîne… tu vois…

Et tu as renoué avec le chant…

Je n'avais jamais totalement abandonné le chant, mais il est certain qu'il m'est revenu à ce moment-là et il a repris la place qu'il méritait…

Clémence se tait. Elle contemple le visage ridé, fatigué, mais paisible de Sen, son front dégagé se confondant avec la calvitie réelle, ses cheveux longs, grisonnants, tombant derrière les oreilles. Les yeux de la femme rencontrent ceux de l'homme à l'iris brun qui étincellent derrière les verres progressifs de ses lunettes.

C'est drôle que je puisse te parler comme ça, continue Clémence, comme si ces trente années écoulées n'avaient rien changé... Je n'en reviens pas...

Elle rit de bon cœur.

Comme si nous reprenions sans hiatus le fil de notre conversation entamée dans ce passé que je croyais pourtant mort, enterré...

Sen parle les yeux baissés, les mains posées sur la table. Puis il relève la tête. Il croit alors percevoir dans le regard de l'amie revenue un ruissellement lacrymal silencieux qui colore le blanc de ses yeux d'une rougeur soudaine. Il prend la main de la femme sans rien dire... Celle-ci, à son tour, pose l'autre main dessus. Puis, comme s'éveillant d'un rêve étouffant, elle dit d'une voix émue, comme empêchée par un hoquet :

Et toi... parle-moi un peu de toi... si ça ne t'ennuie pas.

Oui, si tu veux...

Sen pousse un profond soupir en levant les yeux vers le plafond. On dirait qu'il est embarrassé. Un silence s'installe. Puis l'homme commence à parler.

À l'époque où j'ai fait ta connaissance, je préparais une thèse en lettres. Ça, tu le sais.

Oui.

Eh bien, j'ai fini cette thèse quelque temps après. Ça m'a permis d'obtenir un poste d'enseignant dans mon pays. À partir de là, j'ai fait toute ma carrière dans l'enseignement supérieur. Je me suis donné à fond dans mon travail de prof. Ça a été un plaisir et une passion. Et quand l'ère d'Internet est arrivée, j'ai même créé mon site personnel à but pédagogique…

Je bénis Internet… C'est grâce à ton site que nous sommes là ce soir…

C'est vrai. Si nous étions nés vingt ans plus tôt, nos chemins ne se seraient pas recroisés…

Sen lance à Clémence un regard pensif.

J'imagine les derniers instants de quelqu'un qui est à l'agonie, quelqu'un, donc, qui n'a devant lui aucun avenir, quelqu'un pour qui seul compte son passé. Quels seraient les événements du passé qui reviendraient habiter la conscience mourante de cette personne ? Et si c'était moi… Qu'est-ce que je me rappellerais ?

Chacun se demande, à un moment donné, de quoi est faite sa vie…

Eh bien, je penserais sans nul doute à notre rencontre… à Suzanne qui a pris corps en toi… Te connaître au moment même où je tentais de faire de la langue française, non pas un simple outil de travail, mais un lieu où m'ancrer loin de la culture qui m'avait formaté, ça a été une expérience singulière. *Les Noces* et la musique en général qui atteint un de ses sommets avec cet opéra m'ont escorté toute ma vie. Comment pourrais-je t'oublier ?

Puis, un jour, j'ai rencontré Mathilde, ma femme, au cours d'un stage de chant.

Le visage de Sen s'illumine d'une lueur fugitive. Après un moment de silence songeur, il reprend :

J'avais donc fini ma thèse. Pour jouir de la grande liberté enfin conquise, j'ai voulu réaliser une idée qui me tenait à cœur… Je voulais apprendre à chanter. J'étais toujours dans l'orage provoqué par mes visites obstinées au palais Garnier et par notre trop fugitive conversation. Mais je n'avais pas abandonné *Les Noces*, bien au contraire. Parce que le *concert des voix* dans cet opéra, la manière mozartienne de faire la synthèse de la diversité et de l'unité, ne cessait de me questionner. J'avais d'ailleurs abordé ce sujet dans ma thèse. Je viens d'une culture qui ignore la polyphonie en musique aussi bien qu'en politique. Il ne me suffisait pas d'écouter, partition à l'appui, la musique et les voix qui la portent. Je voulais la connaître de l'intérieur, que ma voix se fasse complice de l'agencement des notes. C'est alors que l'idée de faire un stage m'est venue à l'esprit. Ça se passait près de Montpellier dans un merveilleux cadre champêtre au milieu des pierres et des arbres.

C'était où exactement ?

Un très beau village de l'arrière-pays montpelliérain, Saint-Guilhem-le-Désert…

Ah, je connais !

Mathilde était venue pour un motif semblable. Elle voulait apprendre à chanter pour apprécier davantage des airs d'opéra. C'était une beauté discrète qui fredonnait des mélodies de Schubert qui l'enchantaient. Nous nous sommes donc connus au cours de ce stage, nous nous sommes reconnus l'un dans l'autre à travers la passion commune pour l'émotion insondable de la musique. Et, bien sûr, je suis tombé amoureux d'elle. Je lui ai demandé si elle oserait me suivre dans un pays lointain. Nous avons longuement discuté, évoqué les obstacles à surmonter. Mais, finalement, le désir de vivre ensemble, de partager la vie l'a emporté sur nos hésitations. Je suis rentré seul dans mon pays. Elle m'a rejoint peu après. Elle a vu le monde dans lequel elle était amenée à vivre… Et nous avons décidé de continuer à marcher ensemble sur le chemin que nous avions pris. Depuis lors, nous ne nous sommes plus jamais quittés. Ça fait donc bientôt trente ans que nous sommes ensemble.

Vous avez des enfants ?

Nous avons une fille. Elle est née quand nous avons eu tous les deux un poste d'enseignant. Les soucis d'ordre matériel ayant disparu, nous étions détendus, ce qui a certainement favorisé la venue de l'enfant.

Oui, je sais ce que c'est, le stress qui agit en sous-main… et empêche la fécondité… Pour avoir mon fils, j'ai dû recourir à la PMA. Ta fille est… musicienne ?

Un vague sourire s'esquisse alors sur le visage de Clémence. Sen frissonne, croyant percevoir, une fraction de seconde, une des nombreuses expressions du visage qu'il a aimé autrefois, resplendissant de jeunesse.

Non… Je n'ai pas cherché à…

… et tu n'as pas écrit sur *Les Noces* ?

Si.

Un rictus se dessine sur les lèvres de Sen.

Alors, raconte.

J'ai fait un livre sur *Les Noces*… il y a une dizaine d'années. Je crois que, d'une certaine façon, tu es à l'origine de ce livre. Sans cette folle expérience des *Noces* au palais Garnier, je ne l'aurais sans doute pas écrit.

J'aimerais bien le lire, dit Clémence d'un ton égayé.

Hélas, il est écrit dans une langue que tu ne comprends pas.

Ah oui ? Il n'est pas traduit ?

Non.

Tu ne veux pas le traduire en français ?

Non. Ça me paraît impossible… parce que ce livre est ancré dans le contexte du pays que j'ai habité longtemps jusqu'à une date récente.

Le Japon ?

Oui. Et je dirais que tu n'as pas besoin de lire ce livre, parce que, d'une certaine manière, tu l'as déjà lu.

Comment ça ?

Le noyau dur de ce livre, c'est ce que j'ai écrit dans les lettres que je t'ai adressées…

Ah oui ? Je les ai gardées, tu sais. Alors, si je comprends bien, tu as toujours habité là-bas et tu n'y habites plus ?

C'est ça. J'ai quitté le Japon il y a quelques années. Mathilde et moi sommes venus nous installer ici après une longue absence, comme une expatriée qui revient au pays pour Mathilde et comme un exilé en ce qui me concerne. Je n'ai pas supporté la droitisation extrême du pays, le retour progressif des revenants du totalitarisme militaire d'avant-guerre…

Je croyais que tu avais toujours habité ici puisque ton site est entièrement en français. J'ai lu tout ce que tu proposes à la lecture, les textes que tu as publiés en français…

Ça peut donner cette impression, effectivement. Mais j'ai créé ce site surtout dans le cadre de mon enseignement. Je devrais d'ailleurs le fermer. Je suis à la retraite ; je ne travaille plus là-bas, je n'ai plus de cours. Il ne sert plus à rien.

Si, il sert à quelque chose ! La preuve…

Qu'est-ce que je disais ? Oui… J'ai écrit mon livre en m'érigeant *contre* l'impensé politique et culturel de mon pays, contre ce qui rend impossible la réception de cette œuvre autrement que comme un produit industriel inscrit dans un système d'économie capitaliste. Cette intention politique, je l'ai ostensiblement manifestée en adressant le livre « *Aux Japonais* », un peu sur le modèle de Baudelaire qui a dédié son *Salon de 1846* « *Aux bourgeois* ». Il n'y a rien qui soit plus étranger à l'être-ensemble nippon que l'entrecroisement polyphonique des voix diverses !

La nuit avance. Le bruit de la ville se retire peu à peu. Les clients, autour d'eux, se font rares. Sen et Clémence semblent poursuivre leur descente concertée dans la douce chaleur de la conversation qui n'en finit pas et qui leur permet de faire le chemin à rebours dans les corridors obscurs et dédaléens du passé et d'imaginer enfin dans leur for intérieur, secrètement, leurs vies qui, fusionnées l'une dans l'autre, auraient été tout autre chose que celles qu'ils ont effectivement vécues l'un sans l'autre.

Tu as donc été prof là-bas pendant toutes ces années…

Oui, c'est ça. J'ai été prof. Je n'ai certainement pas été un bon prof selon les critères d'aujourd'hui, un prof sympa à l'écoute des élèves qui tient compte des *needs* de son public… Quel mot horrible que ces *needs*, ces *besoins*… J'ai été plutôt un prof révolté qui fait fi de l'idéologie de la communication, de l'*à-peu-près-isme* de la compréhension commandé par l'hégémonie du *globish*… Un mauvais prof donc qui a refusé de s'adapter à l'évolution du monde…

Un sourire narquois se profile sur ses lèvres.

Par contre, je crois que je peux dire sans me flatter que j'ai été un prof passionné, oui, passionné.

Ah oui, je vois à quel point tu peux l'être… J'en sais quelque chose !

Clémence a prononcé ces mots en insistant sur *quelque chose.*

Tiens, je vais te raconter une histoire qui t'amusera…

Qu'est-ce que c'est ? demande Clémence, curieuse.

C'était en 2001, je crois. J'ai lu par hasard dans *Le Monde diplomatique* un texte d'Edward Saïd sur son ami Daniel Barenboïm. Tu as chanté sous sa direction ?

Non… je n'ai pas eu cette chance… Saïd, c'est celui avec qui Barenboïm a fondé ce fameux orchestre israélo-arabe ?

Oui, l'Orchestre du Divan occidental-oriental… C'était un Palestino-Américain, professeur de littérature comparée à Columbia, à New York… Il est mort en 2003. Je me souviens très bien, c'était l'année de la guerre en Irak.

Un Palestinien et un Israélien unis par l'amitié… C'est symbolique…

Tout à fait. Dans cet article du *Diplo*, il s'agissait de défendre le chef d'orchestre israélien qui venait d'être l'objet d'une résolution de boycottage de la part de la Knesset. Barenboïm avait osé donner en *bis* lors d'un concert à Jérusalem un extrait de *Tristan et Isolde* alors que la musique de Wagner est interdite dans l'État juif parce que, tu sais bien, Wagner était le compositeur préféré d'Hitler… J'ai trouvé l'article de Saïd remarquable et passionnant. J'ai été surtout séduit par le portrait de son ami musicien qui mène une vie *itinérante*, selon son expression : quelqu'un qui franchit allègrement les frontières, brave les convenances et ignore les barrières. Barenboïm a déjà trois passeports, mais aux dernières nouvelles, il aurait fini par obtenir la citoyenneté palestinienne… J'ai trouvé ce portrait extrêmement intéressant et très stimulant intellectuellement pour mes étudiants. Tu sais, là-bas, la décision de Barenboïm, qui consiste à vouloir devenir citoyen d'un autre État que celui de sa naissance, est totalement inconcevable. Au pays du Soleil-Levant, on naît japonais, on l'est naturellement, on ne le devient pas. C'est le sang qui décide, pas la volonté.

Je ne vois pas en quoi ça peut m'amuser, ton histoire…

Attends, ce n'est pas fini… En septembre 2003, quand j'ai appris la mort de Saïd, j'ai eu l'idée de faire un cours autour de ce texte pour lui rendre hommage et, surtout, pour inviter les étudiants à s'interroger sur l'évidence de leur appartenance nationale…

Je ne vois toujours pas ce qu'il y a d'amusant…

C'est maintenant que ça commence…

Excuse-moi.

Un jour, j'ai appris que Barenboïm venait à Tokyo avec l'Orchestre symphonique de Chicago dont il était le directeur à l'époque. Alors, j'ai eu la folle idée de lui écrire et de lui demander s'il ne pourrait pas venir dans mon cours pour rencontrer mes étudiants et discuter avec eux sur le texte de Saïd.

Ça alors ! Tu lui as vraiment écrit ?

Oui.

Et il t'a répondu ?

Devine. Mais c'est difficile pour toi, tu n'as pas lu la lettre…

Tu as cette lettre ?

Oui, je dois l'avoir dans mon ordinateur… J'ai essayé d'entrer en relation avec Barenboïm d'abord par le site de l'Orchestre de Chicago.

On m'a répondu que je n'avais qu'à lui envoyer ma lettre en pièce jointe et qu'elle lui serait alors remise sans faute… C'est ce que j'ai fait.

Alors, il t'a répondu ?

Non, je n'ai pas eu de réponse.

Tu as dû être déçu…

Oui, un peu. Parce que je m'étais dit que ce serait formidable… J'avais commencé à rêver… à préparer des choses… Mais, en même temps, ça se comprend parfaitement. Sa notoriété l'empêche d'être disponible… Toi, tu m'avais gentiment répondu… Lui, non. J'étais trop naïf… Bref, j'ai dû me contenter de proposer des exercices à partir de ma lettre…

Tu ne peux pas me comparer à un chef célèbre comme lui… Moi, je débutais à l'époque, même si les projecteurs commençaient à se braquer sur moi… Tu pourras m'envoyer ta lettre ? J'ai vraiment envie de la lire, maintenant que je sais dans quelles circonstances tu as écrit au maestro. Tu me l'enverras ?

Oui, si ça te fait plaisir… Tu auras au moins le souvenir de nos retrouvailles de ce soir…

La conversation pourrait encore continuer, si la nuit avancée ne poussait pas l'homme et la femme à prendre conscience de la nécessité de retrouver chacun le visage et le paysage de son monde accoutumé.

Les deux mains de Sen prennent entre elles la main gauche de Clémence. La main droite de la femme se glisse entre les mains de l'homme.

Les quatre mains s'entrelacent dans une chaleur moite. Le regard de l'un rejoint celui de l'autre. Tous les deux semblent absents. On dirait qu'ils sont immobilisés dans un temps qu'ils sont incapables d'identifier ni avec le présent ni avec le passé.

Les quatre mains se délient. Sen se lève. La salle est presque vide. Un garçon range les tasses et les bouteilles vides abandonnées sur les tables. Le regard de Sen se porte alors sur un verre resté seul sur une table voisine, un verre à moitié plein de vin rouge.

Tu te rappelles ce qui s'est passé quand on était sur le point de quitter ce bistrot ?

Bien sûr. Comment pourrais-je l'oublier ?

J'étais rouge comme le vin renversé, dit Sen en riant.

Ce que tu ne sais peut-être pas, c'est qu'à ce moment-là une bouffée de chaleur rougissait mes oreilles cachées par mon foulard…

Tout ça, c'est du passé.

Oui, c'est du passé. Sans retour.

Sans retour.

Sen ouvre la porte et laisse sortir Clémence. Ils marchent lentement comme s'ils voulaient différer au maximum le moment où ils devront se dire au revoir. On n'entend que la cadence régulière de leurs pas. Enfin, ils arrivent à la station de taxis.

Une Prius arrive. Ils s'embrassent. C'est une

étreinte longue, maladroite, lourde d'un passé qui ne passe pas, muette, chaste, ardente.

À bientôt, Sen. J'attends ta lettre au maestro…

Oui, à bientôt… Merci pour cette soirée.

Merci d'avoir été là. Je suis très heureuse de t'avoir retrouvé.

Clémence monte dans la voiture qui démarre immédiatement, sans pitié, en vrombissant, et disparaît aussitôt, engloutie dans une rue obscure.

Sen demeure debout, immobile, comme frappé de stupeur. Un grand vide se creuse en lui et autour de lui. Seule l'image d'une main blanche reste dans sa tête, une main qui lui fait signe depuis le siège arrière du véhicule juste avant sa disparition hors de son champ visuel.

Il sent des gouttes sur ses joues. Il lève les yeux vers le réverbère. Des multitudes de petites perles d'argent traversent obliquement le fond de la nuit d'encre comme dans un immense tableau pointilliste.

Sen prend un taxi à son tour.

# IV. *MATHILDE II*

# 1

Il était presque deux heures du matin lorsque Sen-nen rentra chez lui. Ça ne lui était pas arrivé de rentrer si tard depuis des années. Il était littéralement épuisé après trois heures et demie de concentration musicale peu commune et une échappée de trois heures hors du présent qui l'avait plongé dans un état de tension psychologique extrême. Il ouvrit la porte blindée dont le grincement brisa le silence. Il alluma dans l'entrée la lampe posée sur une petite table d'écriture. Il ôta ses chaussures et marcha sur la pointe des pieds pour ne pas réveiller Mathilde. Il alla directement à son bureau et s'assit devant son ordinateur. Il tapa dans la fenêtre de la recherche : « Lettre à Barenboïm ». Il la retrouva immédiatement. Après l'avoir relue dans le feu de la conversation qu'il venait d'avoir avec l'amie revenue du passé, il s'empressa de lui envoyer un email en l'ajoutant en document attaché :

De : Sen-nen Y.
À : Clémence S.
Objet : Lettre au maestro

Chère Clémence,

Je viens de rentrer. Voici comme promis la lettre que j'ai écrite au maestro Barenboïm il y a déjà fort longtemps. Je viens de la relire. Ça m'a fait un drôle d'effet. Car j'y perçois une inquiétude qui est devenue réelle et paralysante une dizaine d'années plus tard. Je me retrouve tel que je suis dans cette manière de mettre en parallèle la musique qui se caractérise par la confrontation des voix et le régime démocratique producteur d'un espace public où s'épanouit la pluralité des voix libres.

Merci encore pour cette belle soirée dont je garderai longtemps le souvenir.

Bonne nuit.

Sen-nen / Mille-Ans

Sen-nen n'éteignit pas son ordinateur. Il alla dans la salle de bains. Il se brossa les dents. Il aspergea son visage d'eau froide pour se rafraîchir. Lorsqu'il eut fini de s'essuyer avec une grande serviette-éponge accrochée au mur, il se regarda dans la glace. Il vit ses cheveux gris et argentés, son front largement dégarni et profondément sillonné.

Il amorça quelques pas vers la chambre. C'est alors qu'il entendit le minuscule bruit mécanique, sonore, signalant la réception d'un message électronique. Il ne résista pas à la tentation de retourner à son bureau. Il réveilla l'ordinateur en appuyant sur la touche *return* du clavier. La réponse de Clémence était là. Sen-nen s'assit sur le bord de son fauteuil.

De : Clémence S.
À : Sen-nen Y.
Objet : Re : Lettre au maestro

Mon très cher Sen,

Merci de ton message et, surtout, de la lettre au maestro que je me suis empressée de lire malgré la nuit avancée. J'ai retrouvé, dans cette lettre, mon Sen avec toute sa passion. J'ai été très émue. Quel dommage, quand même, qu'il ne t'ait pas répondu !

Maintenant que j'ai lu cette lettre, je crois mieux comprendre ce que tu m'as dit au sujet de l'ancrage de ton livre sur *Les Noces* dans le contexte politique de ton pays, pourquoi tu es sensible au phénomène de co-apparition, dans l'Europe du XVIIIe siècle, des « formes musicales où prédomine la confrontation des *voix* et du régime démocratique en tant que régime des *voix* plurielles issu du pacte social originaire ». Je crois pouvoir saisir aussi ta remarque sur « l'essor parallèle du roman en tant que genre littéraire propice à l'éclatement de la Vérité en une multitude de perspectives subjectives ». Je vois donc mieux maintenant pourquoi tu aurais aimé discuter avec le maestro qui « considère l'orchestre comme une école pour la vie ». C'est vrai que « l'orchestre dans lequel les musiciens sont tous égaux devant l'œuvre » est, comme tu le dis si bien, une « société démocratique en miniature » où les voix doivent être à l'écoute les unes des autres… Un musicien, c'est quelqu'un qui joue, mais c'est aussi quelqu'un qui écoute constamment les autres. Quand on ne prête pas une oreille attentive à ce que font les autres, on ne peut pas jouer, chanter soi-même…

on détruit la musique… C'est ce que tous les musiciens savent et expérimentent tous les jours…

Merci pour cette merveilleuse soirée qui a supprimé d'un coup, comme par miracle, ce gouffre de temps qui dévore… Mais j'ai compris que tout ne tombait pas dans ce gouffre…

Je t'embrasse.

Bonne nuit.

Clémence

Sen-nen resta immobile pendant une longue minute, le regard tourné vers le plafond d'où descendait un *noren*, un grand rectangle de tissu gris pâle fendu en deux sur lequel était dessiné un somptueux prunier décoré de quelques petites fleurs rouges en début d'épanouissement. Certaines scènes des *Noces* de ce soir-là lui revinrent, en surimpression, sur celles d'autrefois.

Il se leva et gagna la chambre. Il éteignit la lumière du couloir. Il ouvrit doucement la porte.

Deux veilleuses à une dizaine de centimètres du plancher éclairaient faiblement le grand lit. Le regard de Sen-nen, après s'être porté sur la couette blanche formant comme une chaîne de montagnes onduleuses, fut frappé par la silhouette de Blanca qui, le museau sur la partie la plus élevée de la couette, était couchée là où Sen-nen s'allongeait toutes les nuits. Elle dévisageait l'ombre d'homme de ses yeux phosphorescents sans bouger d'une oreille. Surpris, Sen-nen ne put s'empêcher de parler à la chienne, à voix basse.

Blanca, qu'est-ce que tu fais là ? Qu'est-ce qui t'arrive ?

La chienne ne broncha pas. L'homme contourna le lit pour s'approcher d'elle. Il vit qu'elle se collait à Mathilde au travers de la couette, comme si elle s'efforçait de réchauffer le corps de la femme qui souffrait depuis de nombreuses années d'une mauvaise circulation du sang.

Merci, Blanca, chuchota Sen-nen.

Il sortit son pyjama de sous la couette et lorsqu'il eut fini d'enfiler le haut, Blanca descendit du lit pour se coucher à côté.

Sen-nen entra dans le lit. Une chaleur diffuse l'accueillit. Il s'appuya doucement contre le corps de Mathilde couchée sur le flanc.

Bonne nuit, Mille-Ans. Tu me raconteras ta soirée demain, dit Mathilde d'une voix étouffée, tremblante.

Oui, oui. Dors, Mathilde. Dors. Ne t'inquiète pas, dors.

Blanca, déjà, s'assoupissait, le museau sur les pattes de devant. Elle poussait de petits cris de douleur comme si on lui faisait mal. Était-elle assaillie par un cauchemar ?

Sen-nen ne ferma pas l'œil de toute la nuit.

## 2

La lumière matinale pénétrait dans la chambre à travers la grande fenêtre à croisée dont les volets n'étaient pas entièrement fermés. Blanca se leva et s'étira pour se rapprocher de Mathilde. En s'asseyant sur son séant, elle dévisagea la femme allongée de ses grands yeux mouillés et étincelants. Mathilde, sentant auprès d'elle la présence attentive de Blanca, ouvrit les yeux.

Bonjour, Blanca. Comme c'est gentil ! dit Mathilde d'une voix suffoquée.

Bonjour, Mathilde. Comment tu te sens ce matin ? Tu as pu dormir ? demanda Sen-nen, inquiet au son de la voix de sa femme, qui lui semblait manquer de force.

Blanca, cependant, levait sa patte droite, hésitante, pour la tendre timidement vers Mathilde.

… Merci, Blanca. Merci mille fois !

Tu sais, hier, ou plutôt cette nuit… quand je suis rentré, Blanca était montée sur le lit et couchée à côté de toi, comme si elle me remplaçait… Elle n'a jamais fait ça…

Ah oui ? Je ne m'en suis pas rendu compte… Elle a vu que tu n'étais pas là, que j'étais seule… C'est inhabituel pour elle de ne pas te voir… et pour moi aussi, d'ailleurs… Elle s'est mise à ta place pour me faire comprendre que je n'étais pas seule… Quelle attention délicate ! C'est incroyable, ça !… À propos, tu as passé une bonne soirée ? Alors, ces *Noces*… Raconte, Mille-Ans, interrogea Mathilde, d'une petite voix tremblante.

Pris de court, Sen-nen ne savait que répondre. Il se demanda comment il pourrait parler à sa femme des indéfinissables agitations du cœur qu'il avait éprouvées, quelques heures auparavant, au palais Garnier, en écoutant *Les Noces de Figaro*.

C'était formidable. Ça faisait longtemps que je n'avais pas vu *Les Noces* dans un théâtre. Quand est-ce qu'on les a vues la dernière fois ?… C'était à Tokyo… me semble-t-il.

Plusieurs secondes passèrent sans que ni l'un ni l'autre osât parler. Ce fut Mathilde qui souleva le voile de gêne.

Je suppose que tu n'étais pas seul…

Si, si… non, enfin si, j'étais seul… mais j'ai rencontré quelqu'un là-bas.

Ce n'est pas très intéressant d'être seul à l'Opéra… ajouta Mathilde d'une voix chevrotante.

Un silence de tombe se creusa.

… Tu te souviens, Mathilde, je t'ai parlé, il y a longtemps, vraiment très longtemps, quand on s'est connus, de mon expérience assez singulière des *Noces* à l'Opéra… J'ai vu toutes les représentations des *Noces* d'une saison, sans en manquer une seule. Tu te souviens ? C'était fou…

Oh oui. Comment veux-tu que j'oublie ça ? C'est tellement fou et tellement toi… Tu as été ensorcelé par la jeune femme qui tenait le rôle de Suzanne… C'est ça ?

Oui… Eh bien, c'est cette femme qui m'a contacté l'autre jour après trente ans de silence. C'est la puissance d'Internet qui a joué… Elle avait trouvé ma trace sur mon site, que j'aurais dû supprimer il y a longtemps, après ma retraite. Ce que tu ne sais peut-être pas, mais il me semble que je t'en ai parlé, parce que quand je t'ai connue, je ne voulais rien te cacher… Bref, au terme de toutes ces représentations des *Noces* il y a vingt-neuf ans exactement, comme je lui avais adressé des lettres d'admiration, elle a fini par accepter de rencontrer son fan… C'était une étrange rencontre, dans un bistrot, près de l'Opéra…

Sen-nen, toujours en pyjama, assis sur le bord du lit, allait s'enfoncer dans les détails de sa rencontre avec la jeune cantatrice, lorsque Mathilde l'interrompit :

Bien sûr, tu m'en as parlé… Et je n'ai pas oublié cette histoire. Ça ne s'oublie pas. Rien de ce que tu m'as raconté ne s'oublie…

Sen-nen s'habilla et fit savoir à Mathilde qu'il allait d'abord préparer le petit déjeuner. En sortant de la chambre, il dit à Blanca de rester avec Mathilde :

Je prépare notre petit déjeuner et le tien aussi. Je te l'apporterai ici. D'accord ?

Blanca se mit sur son séant et leva encore une fois sa patte droite pour la donner à Mathilde, qui la prit dans ses deux mains en la secouant doucement.

Merci, Blanca, fit Mathilde en regardant son mari.

La chienne, à son tour, aboya d'une petite voix.

Lorsque Sen-nen revint, Mathilde somnolait.

Alors, Mathy, tu retombes dans les bras de Morphée ?

Oh, excuse-moi…

Sen-nen posa la gamelle de Blanca devant elle et lui souhaita bon appétit. Immédiatement, la chienne commença à manger goulûment.

Le mari attentionné posa le plateau du petit déjeuner devant sa femme adossée contre deux gros oreillers. Il servit du thé et étala de la confiture d'orange amère sur une tranche de pain grillé.

Merci.

Si tu veux du pain de campagne aussi, il y en a.

Non, merci, ça ira comme ça.

Sen-nen se retourna et alla vers la grande fenêtre qu'il ouvrit pour pousser les volets. Une lumière vive pénétra dans la chambre. Mathilde remarqua que son mari avait les yeux rouges.

... Alors, donc, cette femme que j'ai rencontrée il y a très longtemps avant de te connaître, quand j'étais encore étudiant thésard, c'est elle qui m'a signalé la reprise de la mise en scène d'il y a vingt-neuf ans dans laquelle elle avait elle-même joué et chanté le rôle de Suzanne...

La conversation qu'il avait eue avec Clémence autour de *Vertigo* lui revenait. Une dizaine de secondes passèrent en silence. Puis enfin, son regard, qui s'était perdu dans le vide, se dirigea lentement vers Mathilde comme celui d'une personne qui sort d'un rêve...

Elle s'appelle Clémence S.

Ça ne me dit rien.

C'est normal. Elle avait été très remarquée au début. Mais elle s'est effacée de la scène assez rapidement... Personne ne se souvient d'elle aujourd'hui, sans doute.

À part toi...

Oui, si tu veux... En fait, comme personne n'a jamais parlé de son extraordinaire Suzanne, il m'arrivait de douter de ma mémoire... Je finissais par me demander si elle avait vraiment existé... si elle n'existait pas seulement dans des rêves que j'avais faits dans un passé maintenant inatteignable et qui s'étaient enfouis pêle-mêle dans la couche profonde des souvenirs... Eh bien non, elle a existé et elle existe réellement... Je l'ai vue hier. Nous sommes retournés dans le même bistrot qu'il y a vingt-neuf ans.

On dirait un film… De quoi avez-vous parlé ?

Je te donne encore un peu de thé ?

Oui, je veux bien.

Eh bien, tout simplement de ce que nous sommes devenus depuis notre rencontre à l'issue de la dernière des *Noces*…

Ça doit être troublant de revoir après tant d'années une personne avec qui tu as vécu un moment aussi fort…

Si je répondais non, ce serait un mensonge…

Sen-nen fit à Mathilde un bref compte-rendu de la soirée.

## 3

Le regard de Sen-nen s'égara à nouveau. Il se fit de nouveau un silence qui semblait plonger Sen-nen dans une pensée sans objet…

La clarté printanière qui se projetait à travers la grande fenêtre arrivait maintenant jusque sur le lit et promettait une température clémente à l'extérieur. Blanca, le museau sur les pattes de devant, sommeillait tout en remuant de temps à autre ses oreilles dont les poils dorés frisaient en minuscules boucles. Sen-nen, revenant de la cuisine, proposa d'un ton guilleret :

Mathy, si on faisait une petite promenade ? Le temps est magnifique. Ça te ferait du bien, qu'en penses-tu ?

D'un coup, avec le bruit sec que produisait le contact de ses griffes contre le parquet, Blanca se leva et se posta immédiatement près de la porte comme pour approuver la soudaine proposition du mari.

Tu me conseilles de sortir toi aussi ? s'adressa

Mathilde à la chienne. Oui, pourquoi pas ? Je me sens plutôt bien ce matin. Oui, tu as raison, je ne suis quand même pas tout à fait grabataire et je ne veux pas le devenir… C'est pour ça que je m'oblige à marcher tous les jours… Mais je n'ai pas fait de vraie promenade depuis un bon moment. Oui, ce matin, il faut que je profite du beau soleil, dit Mathilde d'une voix presque joviale.

La femme se leva lentement, aidée par son mari. Une sorte de kimono de nuit, léger, long et ample, enveloppait son corps frêle.

Je vais me préparer. Donne-moi un quart d'heure. Blanca, j'arrive tout de suite, attends-moi.

Blanca se recoucha. Mathilde, marchant à petits pas, disparut dans le couloir.

Elle revint dans la chambre. Elle s'était coiffée. Elle avait mis du rouge à lèvres rose clair. Ses cheveux châtain foncé aux reflets cuivrés, bien coupés, faisaient ressortir la pâleur de son teint. Sa coiffeuse était venue la veille pour lui faire une coupe et une teinture au henné. Elle s'avança vers la commode. Elle enleva son kimono. Le corps nu d'une femme de soixante ans s'offrit aux yeux de Sen-nen. C'était un corps certes fatigué, abîmé par le poids des ans, avec un ventre flasque, des varices tortueuses aux jambes, des seins qui avaient perdu leur fermeté, mais qui, vu de dos, conservait les lignes fluides d'un corps de jeune femme. Lorsque sa femme se retourna de son côté, le regard de Sen-nen fut attiré par le petit grain de beauté qui se logeait, invariable, entre les deux seins.

Sen-nen détourna les yeux et s'adressa à la chienne qui leur lançait tantôt à l'un tantôt à l'autre un regard attentif.

Allez, Blanca, on va se préparer nous aussi. Tu n'as pas besoin de moi, Mathilde ?

Non, merci, ça ira. Tu m'attends dans l'entrée, j'arrive tout de suite.

Sen-nen mettait dans le petit sac en tissu destiné à la promenade de Blanca une bouteille de Volvic remplie d'eau du robinet et quelques pages de vieux journaux, tandis que la chienne, assise sur son séant, demeurait immobile comme une statue. Mathilde arriva enfin, une écharpe bleu pervenche autour du cou. Elle était vêtue d'une parka légère vert foncé, coiffée d'un chapeau marron.

Tu as raison. Il ne fait pas froid, mais le fond de l'air est frais… Tu te sens d'attaque pour un petit tour ? Mais qu'est-ce que tu es élégante, Mathilde ! Regarde comment je suis ! Tant pis… Allez, on y va…

Il s'esquissa alors sur le visage de la femme un sourire discret comme une fleur de prunier. Sen-nen ouvrit la porte. Mathilde fit quelques pas, suivie de Blanca. Le couple prit l'ascenseur, tandis que la chienne dévalait l'escalier à toute allure. Lorsque Sen-nen et Mathilde eurent fini de descendre les quatre étages et que Sen-nen ouvrit la porte de l'ascenseur, Blanca les attendait là, assise dans la posture d'un renard de pierre qui, au bout de l'allée centrale d'un temple shintoïste, surveille la zone d'accès au sanctuaire principal. Sen-nen prit le bras de sa femme pour l'aider à descendre les trois petites marches qui conduisaient à la porte en verre du hall d'entrée. Ils avancèrent ensuite dans la pénombre du hall et arrivèrent enfin devant la grande porte en bois massif de l'immeuble. Sen-nen la tira de tout son poids… Alors, un large et éclatant rayon de soleil chassa d'un coup l'obscurité régnante comme dans un tableau d'Edward Hopper.

Blanca sauta dans la lumière.

## 4

La promenade fut courte. Dans l'état où se trouvait Mathilde, il n'était pas prudent de la prolonger au gré du plaisir. Mathilde, dont les bras s'enroulaient autour de celui de Sen-nen, marcha à un rythme lent et régulier auquel s'adaptait naturellement Blanca sans que Sen-nen ne lui adressât la moindre parole. La chienne, d'ailleurs, lançait de temps en temps un regard inquiet à l'homme et à la femme qu'elle voyait se fondre l'un dans l'autre dans leur marche hésitante et silencieuse.

Lorsqu'ils rentrèrent à la maison, Mathilde s'affaissa sur le lit en poussant un *ouf* de soulagement comme si elle avait attendu longtemps ce moment de relâchement et d'abandon. Sen-nen l'aida à se changer et à se mettre à l'aise.

On est allés trop loin, je crois. Allez, il faut que tu te reposes. Allonge-toi, Mathy…

Je suis un peu essoufflée… mais je suis très contente d'avoir marché avec toi… et Blanca… Ça ne m'était pas arrivé depuis longtemps… On a marché combien de temps ?

Sen-nen regarda la pendule. Elle indiquait onze heures vingt-cinq.

Euh… vingt-cinq minutes à peu près. C'était trop…

Non, c'était bien…

Blanca s'était postée à côté du lit et regardait Mathilde pendant qu'elle répondait à son mari. Quand elle vit que la femme allongée fermait les yeux et commençait à respirer profondément, elle mit son museau sur ses pattes de devant. Quant à Sen-nen, il sortit de la chambre sur la pointe des pieds après avoir tiré les rideaux.

Une heure s'écoula. La porte s'ouvrit timidement. Blanca tourna brusquement la tête du côté de la porte qui couinait. Elle vit Sen-nen qui jetait un regard sur le corps allongé. Elle se dressa sur ses pattes.

Quelle heure est-il ? balbutia Mathilde.

Oh, excuse-moi, je t'ai réveillée.

Non, non, je ne dormais pas.

Ça va ? Tu as pu te reposer ? Comment tu te sens ?

Ça va.

Tu veux manger un peu ? J'ai préparé des pâtes.

Oui, merci, j'arrive.

Si tu veux manger ici, je t'apporte le plateau…

Non, non, j'arrive.

Mathilde s'assit sur le bord du lit et se leva d'un coup en se donnant de l'élan comme si elle avait peur que les muscles de ses jambes ne pussent pas soutenir le poids de son corps. Une fois debout, elle se dirigea lentement vers la porte. Blanca la suivit en remuant la queue.

À la fin du repas, Mathilde déclara de but en blanc qu'elle voulait revoir *Les Noces de Figaro* en DVD.

Oui, si tu veux.

Le récit de ta soirée d'hier m'en a donné envie… Tu me tiendrais compagnie ?

Bien sûr. C'est vrai que ça fait un moment qu'on ne s'est pas offert une soirée d'opéra…

Peut-être pas d'une seule traite. Mais en deux fois, qu'en penses-tu ?

Très bien.

# 5

On voyait Blanca couchée, le museau délicatement posé sur le pied gauche de la femme. Elle s'était faufilée dans l'espace entre le canapé et une petite table basse en verre. Ses oreilles pendantes se relevaient imperceptiblement chaque fois que l'une des deux voix se taisait pour laisser s'élever l'autre.

Mathilde avait choisi de revoir la version filmée de Jean-Pierre Ponnelle qu'ils avaient adorée tous deux quand ils l'avaient vue ensemble pour la première fois peu après le début de leur vie commune. Mais, au moment où Sen-nen mit la main sur le choix de sa femme dans le tas de DVD posés sur une étagère, Mathilde se ravisa. Le souvenir de l'écoute émerveillée d'un enregistrement audio lui était revenu.

Écoute, Mille-Ans, j'ai une autre idée. Si on écoutait la version que tu m'as fait écouter je ne sais pas quand exactement... Tu sais, c'était merveilleux... C'était des gens pas très célèbres qui chantaient avec un chef d'orchestre dont on n'avait jamais entendu parler… et qui travaillait en Russie dans une ville du côté de l'Oural…

Ah, Teodor Currentzis avec son orchestre MusicAeterna au Théâtre de Perm. C'est vrai que c'était extraordinaire… Quand j'ai découvert cette version, je l'ai écoutée deux fois de suite… Et je t'en ai parlé et on l'a écoutée ensemble, je m'en souviens très bien. Oui, c'est une bonne idée.

Sen-nen prit un épais livre rouge en format de CD qui était rangé juste à côté de l'enceinte acoustique. Il sortit également la partition des *Noces* qui se présentait sous la forme d'un gros volume bleu. Enfin, il plaça le premier disque dans le lecteur de CD. La *Sinfonia* commença.

Les quatre croches suivies d'une noire et d'un soupir… puis douze croches suivies d'une noire et d'un soupir… puis vingt-quatre croches suivies d'une noire, d'un soupir et d'une demi-pause… tout cela joué *presto* par les cordes et les deux bassons jusqu'à l'entrée lumineuse des deux flûtes et des deux hautbois. Sen-nen suivait la musique sur la partition ouverte. Il lui semblait que la succession rythmée et structurée des notes suggérait le réveil progressif de deux corps enlacés qui, à l'aube, commencent à quitter leur immobilité dormeuse avant de remonter de la profondeur des rêves à la surface de la conscience claire. Mathilde, elle, appuyée contre le dossier du canapé, fermait les yeux comme pour s'immerger dans la fertilité sonore qui envahissait tout l'espace de la salle de séjour. Elle se surprenait à entendre pour la première fois, dans l'ascension et l'intensification des notes en guirlande, le passage de la nuit au jour, l'apparition des premières lueurs accompagnant ou provoquant le remuement des corps détendus et étendus sur un grand lit. Lorsque toute la lumière du matin finit par éclairer jusqu'au moindre recoin de l'univers sonore et que le pressentiment frissonnant des bouleversements événementiels et émotionnels à venir eut atteint son acmé, la *Sinfonia* s'acheva presque subitement pour céder la place au premier duo de Figaro et Suzanne.

Il joue beaucoup plus vite que les autres… chuchota Mathilde.

C'est vrai. La différence est considérable par rapport à Otto Klemperer…

Les heures passaient. Le soleil se retirait peu à peu. La salle de séjour était devenue sombre. Mathilde se rendit compte qu'elle parcourait la partition dans la pénombre. Elle demanda à Sen-nen d'allumer la lumière.

Debout, Sen-nen regarda sa montre.

Antonio, le jardinier, l'oncle de Suzanne, entrait en scène, fou furieux.

Tu te reposeras quand on sera allés jusqu'à la fin du deuxième acte…

Oui.

On mangera un peu après… Ça va ?

Ça va, ne t'inquiète pas pour moi. C'est extraordinaire, ça !

Sen-nen se pencha pour remettre sur les

genoux de sa femme la couverture qui était tombée sur le parquet.

Antonio, dont la voix grave, un peu rauque et oscillante indiquait son état d'ébriété, entamait une conversation fébrile avec le Comte Almaviva imbu de son autorité juridictionnelle, tout en manifestant une colère impétueuse contre celui qui, sautant du balcon, avait écrasé ses œillets. Sen-nen se demandait ce qu'il trouverait dans le réfrigérateur pour improviser un petit dîner. Il allait s'absenter un moment lorsqu'il fut littéralement happé par la puissance stupéfiante des cordes qui soutenaient un rythme frénétique et qui réussissaient en même temps, en dépit de ce train d'enfer, à dégager la netteté de la vigoureuse ligne mélodique chargée de traduire toute la violence des sentiments éprouvés.

Mon Dieu, c'est surprenant, ces violons ! remarqua Mathilde, interloquée.

Soudain, Blanca inclina légèrement la tête vers sa droite ; puis elle regarda Mathilde d'un air préoccupé. Enfin, elle se leva et, après s'être étirée, elle alla du côté des enceintes qu'elle renifla avant de revenir se coucher auprès de Mathilde.

Dès lors, l'homme, la femme, la chienne restèrent muets, s'abstenant de faire le moindre geste jusqu'à la fin du deuxième acte. C'est seulement lorsque les derniers accords en *mi* bémol majeur sonnèrent dans leur massivité orchestrale avec l'intervention frappante des cors, des trompettes et des timbales qu'on entendit un long soupir suivi d'un silence prolongé.

Qu'est-ce que j'aime la petite phrase de Suzanne ! dit Sen-nen en rangeant le disque. Tu sais, quand elle monte toute seule en se détachant de la masse sonore comme pour planer au-dessus des voix et des instruments…

# 6

C'est quelque chose ! Comment tu as découvert cette version ? demanda Mathilde.

Je ne me rappelle plus. Je suis tombé sur un article très élogieux. Dans un magazine… ou sur Internet. Ce qui m'a sidéré quand je l'ai écoutée pour la première fois, c'était la sensation de fraîcheur, de jamais vu ou plutôt de jamais entendu, de première fois, et le caractère extrêmement vivant et vivifiant de son interprétation. Du début jusqu'à la fin, j'ai été secoué par des choses que je n'avais jamais entendues… Enlever les couches de préjugés qui se sont superposées sur l'œuvre depuis deux siècles, ça a demandé des années et des années de travail sur la partition, je suppose…

J'ai eu la chair de poule à plusieurs reprises, tu sais.

Ah oui ? À quel moment ?

Dans le trio du premier acte, par exemple, quand Suzanne s'évanouit… j'ai été époustouflée par la véhémence des cordes qui traduisent le bouleversement qui s'empare de Suzanne, par les violons qui arrivent à mimer le vacillement de l'esprit, sa perte de connaissance…

Ah oui, c'est extraordinaire… cette façon d'adhérer à l'émotion de Suzanne face aux deux hommes…

Il faisait nuit noire maintenant. Ils finissaient le repas simple que Sen-nen avait préparé rapidement. Blanca était couchée devant sa gamelle vide.

Tu veux que je te fasse une tisane ? De la camomille ou de la verveine ? Ou du *hojicha*, si tu veux. On en a du frais qui vient d'arriver… Tu dormiras mieux.

Je prendrais bien de la verveine…

Tout à coup, Mathilde devint songeuse. Après un bon moment de silence, elle murmura :

La verveine, ça me rappelle des choses…

Eh oui…

Sen-nen, se levant à moitié, approcha son visage de celui de sa femme assise en face de lui, et posa doucement ses lèvres sur son front. Mathilde fermait les yeux.

On peut reprendre *Les Noces*, Mille-Ans ?

Il ne vaut pas mieux que tu te reposes ? Tu ne m'avais pas dit qu'on les écouterait en deux fois ?

Je me sens bien, ce soir. C'est tellement agréable de passer la soirée comme ça…

Ça dépend de toi… Je ne veux surtout pas que tu te forces…

Non, je ne me force pas. Ça me ferait plaisir… vraiment…

Mathilde prit la main de Sen-nen, qui, immédiatement, lui rendit son geste. Puis ils se levèrent et se dirigèrent tout doucement, en se donnant le bras, vers la salle de séjour. Sen-nen prit de nouveau la main de Mathilde. Celle-ci sentit dans la paume chaude et moite de son mari une muette et énergique pression.

# 7

Le temps s'écoulait dans la lumière atténuée de la salle de séjour. Le couple, plongé dans l'écoute de la musique, un peu courbé à cause de la partition qu'ils regardaient, tantôt en même temps, tantôt séparément à des moments différents, se trouvait dans une immobilité de marbre comme s'ils vivaient désormais dans une temporalité nouvelle qui ne coïncidait pas avec celle de leur quotidien.

Aussitôt que le troisième acte s'acheva, Sen-nen demanda à Mathilde si elle voulait boire quelque chose. Celle-ci lui répondit en esquissant un sourire étincelant qu'elle reprendrait volontiers de la verveine. Sen-nen disparut dans la cuisine.

En revenant avec deux grandes tasses jaunes et une théière blanche sur un plateau en bois laqué rouge, Sen-nen déclara qu'ils venaient de recevoir un email d'Émilie. Blanca se leva brusquement et remua les oreilles en penchant la tête d'un air interrogateur.

Regarde-la, dit Mathilde d'une voix fluette. Qu'est-ce qu'elle ressemble à Momo, quand elle fait ça ! C'est incroyable !

Elle dit qu'elle ne pourra pas venir nous voir à Noël. Elle ne pourra pas prendre suffisamment de jours de congé. Elle restera là-bas...

Ah oui ? Elle est venue cet été. Il faut s'estimer heureux... J'espère qu'elle va bien. Qu'est-ce qu'elle dit encore ?

Mathilde baissa les yeux et devint tout à coup songeuse.

Pas grand-chose. Elle dit qu'elle est toujours très contente de son travail et que l'ambiance est excellente...

Ah oui ?

Tu liras le message tout à l'heure... Méfie-toi, c'est très chaud. J'ai ajouté des feuilles...

J'espère qu'elle n'est pas trop seule, susurra Mathilde.

Quelques minutes passèrent sans que ni l'un ni l'autre ne prenne la parole.

Enfin, Mathilde reposa sa tasse vide sur le plateau. Sen-nen en fit autant. Puis il alla mettre le dernier CD dans le lecteur. À peine avait-il regagné sa place à côté de Mathilde que la cavatine de Barberine commença.

Les premières notes ténébreuses en *fa* mineur obligèrent Sen-nen et Mathilde à retenir leur souffle. Elles étaient jouées presque *pianissimo* alors que le compositeur n'avait mis qu'un seul *p* en tête de la première mesure. Barberine se lamentait dans la nuit profonde d'avoir perdu l'épingle que le Comte l'avait chargée de restituer à Suzanne. Mathilde, tout ouïe, était frappée par l'extrême lenteur. Sen-nen, à côté d'elle, détachant les yeux de la partition, consultait le livret accompagnant les disques et un second pris dans un autre coffret.

Deux minutes treize ! Alors que la Barberine de la version de Karl Böhm chante ça en une minute quarante ! Tu sais, lors de la création, son rôle a été confié à une élève de Mozart, Anna Gottlieb, qui n'avait que douze ans !

La cousine de Suzanne, qui chantait toute sa tristesse, faisait preuve d'une hypersensibilité, d'une capacité d'émotion singulière difficilement attribuable à une enfant de douze ans. Sen-nen se demandait comment Mozart avait eu l'audace de lui conférer une telle maturité. La musique avançait lentement, lorsque, tout à coup, la cantatrice inconnue osa ménager un silence inattendu en prononçant l'interjection « *Ah* » dans « *Ah, chi sa dove sarà ?* » (« *Ah, qui sait où elle sera ?* »). Surpris, Sen-nen et Mathilde se regardèrent.

Nous perdons tous quelque chose, murmura Sen-nen. Ne serait-ce que les jours qui passent… l'enfance, la jeunesse qui s'enfuient…

La musique avançait, se déroulait comme le fond sonore d'une prière silencieuse qui enveloppait l'homme et la femme dans une vibrante émotion continue. Et lorsqu'elle en vint, après la petite scène de la dispute entre Figaro et Suzanne, à celle de la réconciliation du couple :

« *Pace, pace, mio dolce tesoro : / Io conobbi la voce che adoro* », Sen-nen et Mathilde, emportés par la tendresse amoureuse que traduisaient les notes mozartiennes d'une étonnante simplicité, se mirent à chanter à l'unisson des voix sortant des enceintes.

« *La mia voce ? (Ma voix ?)* »

« *La voce che adoro. (La voix que j'adore.)* »

Sen-nen arrêta le CD juste avant l'entrée furieuse du Comte. Alors, Blanca, qui était allongée de tout son long, redressa la tête et regarda Sen-nen.

Ah, tu n'aimes pas que j'arrête ! Tu te souviens ?…

Mathilde et Sen-nen parlaient en même temps.

Tu te souviens, Sen, au stage de chant…

Bien sûr, je me souviens de tous les détails de cette journée !

Sen-nen fit redémarrer la musique. La chienne inclina sa tête, puis bâilla en clignant les yeux.

Il était dix heures passées.

Ils venaient d'assister à l'ultime scène. Sen-nen songeait, une fois de plus, à la justesse de la remarque d'un musicologue qui soulignait, à propos de la musique du pardon, sa dimension religieuse. Il y avait en effet, se dit-il, quelque chose de sacré dans l'apparition d'une communauté où la mise en avant des voix diverses allait annuler la pertinence des relations verticales.

Blanca s'était redressée. Dans la posture du

Sphinx, elle tournait la tête vers la source d'où venait la musique.

On n'a jamais entendu une telle douceur, un accent de vérité aussi bouleversant dans ce moment de réconciliation ! remarqua Mathilde, complètement subjuguée.

Sen-nen acquiesça d'un signe de tête.

La musique passait à l'*allegro assai* final. Jouée comme un vrai *presto*, la fin des *Noces* emporta l'orchestre et tous les chanteurs dans un débordement de vie, embrasa le paysage sonore d'un bonheur jubilatoire. Tous les instruments, les cordes, les flûtes, les hautbois, les clarinettes, les bassons, les cors, les trompettes, les timbales, tous concouraient à la création d'un espace sonore fabuleux digne de l'apparition d'une humanité nouvelle représentée par les chanteurs chantant.

Puis ce fut le silence, un silence qui vous laissait seul avec vous-même dans un immense paysage nocturne.

Ils restèrent assis sans bouger, sans rien dire, un long moment.

C'est fini… murmura Mathilde.

## 8

La lumière de la chambre était éteinte. L'horloge faisait résonner un tic-tac discret. Ils étaient allongés sur le lit l'un à côté de l'autre. Mathilde embrassa Sen-nen pour lui dire bonne nuit et le remercia pour la belle soirée musicale.

C'est moi qui te remercie. On a passé une soirée que je ne suis pas près d'oublier… Allez, bonne nuit. Dors bien, Mathy. Je te mets dans mon œil et je n'aurai pas mal…

En énonçant cette phrase étrange qu'il disait chaque fois qu'il éprouvait une envie tendre de dire à sa femme qu'il l'aimait, il embrassa Mathilde. Ce fut un baiser long et appuyé.

Merci, Sen…

Mathilde se mit sur le côté droit comme d'habitude pour être à l'aise. Sen-nen adopta la même posture et se serra contre sa femme en l'entourant de son bras gauche. Mathilde sentait le corps raidi de fatigue de son mari et même son pénis en repos entre ses fesses ; elle ne résistait pas au plaisir de se laisser envahir par la douce chaleur qui se dégageait de la présence rassurante et enveloppante de Sen-nen et qui irradiait délicieusement dans tout son dos, des épaules aux cuisses. La main de Sen-nen se saisit de celle de sa femme. Celle-ci, passant peu à peu du kaléidoscope des images de la journée au cinéma de la nuit prometteuse de rêves inconnus, chuchota encore une fois bonne nuit à l'homme qui la prenait sous son aile dans leur nid protégé du froid hivernal commençant. Sa voix disparaissait dans le creux de la nuit. L'homme, à l'entrée du grand théâtre onirique, confondait déjà cette voix avec une autre qui résonnait dans un lieu inidentifiable surgi du sommeil.

Au pied du lit s'assoupissait Blanca, paisiblement. Sa respiration, semblable à celle d'un enfant rassuré dans les bras de sa mère, caressait l'oreille de Sen-nen presque endormi. Il s'imagina, à l'instant même où il allait céder à la nuit, que totalement abandonnée à elle-même, étendue à plat ventre sur le plancher, les yeux mi-clos, la tête sur ses pattes de devant, Blanca jouait peut-être avec Momo, sa grande sœur, sa complice d'autrefois, qui apparaissait joyeusement dans son rêve peuplé de rhododendrons, de fleurs de cerisier blanches, de feuilles d'érable rougissantes, tout autant que d'enfants jouant par un matin ensoleillé dans un bac à sable sous le regard attendri de leurs mères, de personnes se saluant mutuellement d'une révérence dans la rue, de passants habillés d'un complet marchant à pas accélérés dans la nuit tombante.

## 9

À la suite de la soirée des *Noces de Figaro* que Sen-nen et Mathilde s'offrirent dans leur appartement, il se produisit un miracle. Mathilde bénéficia, contre toute attente, d'une longue période où sa santé se stabilisa ou, pour mieux dire, connut un regain d'énergie inexplicable. Son médecin traitant ne comprenait pas pourquoi le mal avait sinon disparu du moins sensiblement diminué. Ça faisait penser au personnage d'Arletty Marx dans *Le Havre* d'Aki Kaurismäki, qui guérit miraculeusement d'une maladie incurable pendant que son mari Marcel Marx se démène pour faire passer en Angleterre un jeune clandestin en provenance d'Afrique.

Mathilde quitta les habits de malade, son éternel kimono. Discrètement fardée, soigneusement coiffée, élégamment vêtue, elle redevint rayonnante et elle tirait, sans le savoir, de son rayonnement retrouvé une source de rayonnement supplémentaire qui la rendait réellement belle aux yeux de son mari. Sen-nen était heureux de voir sa femme revigorée et se demandait dans son for intérieur si la santé recouvrée n'était pas l'effet thérapeutique de la musique mozartienne interprétée par le jeune chef grec. Il ne trouvait pas d'autre explication. Le musicien, d'ailleurs, n'avait-il pas confié dans une interview que son désir de travailler sur *Les Noces* avait été suscité par la réaction étonnante des malades en phase terminale d'un hôpital moscovite devant lesquels il avait eu l'occasion de monter l'opéra mozartien ? Sen-nen souriait en silence à la pensée du *Havre*. Il revoyait le docteur sympathique joué par Pierre Étaix et la présence à la fois calme et agissante de la chienne Laïka.

L'amélioration subite de l'état de Mathilde les conduisit à modifier leur style de vie. Elle reprit en charge une partie des travaux ménagers dont, jusque-là, Sen-nen s'était occupé avec l'aide d'une femme de ménage. Elle voulut tout naturellement accompagner son mari, au moins trois ou quatre fois par semaine, pour les promenades matinales et vespérales qu'il faisait avec Blanca, après le petit déjeuner et avant le dîner. Voyant que sa femme avait réellement retrouvé une santé sinon florissante du moins raffermie, Sen-nen eut l'idée de reprendre leurs sorties, d'aller au cinéma, d'aller voir une exposition de temps à autre, d'aller même au concert, le plus souvent le dimanche, car ce jour-là le concert commençait dans l'après-midi et se terminait assez tôt, avant l'heure du dîner. C'est ainsi qu'ils admirèrent par exemple *Le Chien* de Goya venu du Prado de

Madrid, *La Mort de Procris* de Piero di Cosimo venu de Londres ; qu'ils virent avec enthousiasme *Gran Torino* de Clint Eastwood ; qu'ils revirent avec plaisir *Voyage à Tokyo* de Yasujirô Ozu et *Vivre* d'Akira Kurosawa, tous deux ressortis en version remastérisée ; qu'ils furent impressionnés comme chaque fois par la collaboration des voix dans les trois *Quatuors à cordes* dits « Razumovsky » de Beethoven joués dans une petite église par un jeune quatuor composé de quatre musiciens de quatre nationalités différentes ; qu'ils furent bouleversés jusqu'aux larmes par l'immense adagio final de la *Neuvième Symphonie* de Gustav Mahler au Théâtre des Champs-Élysées donnée par un chef d'orchestre coréen dont ils admiraient la magie qui transformait la multitude des musiciens en un seul corps vivant, unifié. À chaque occasion, Mathilde se réjouissait de la sortie comme une lycéenne de province qui découvre la capitale en compagnie de son parrain ; et Sennen, quant à lui, se réjouissait de la réjouissance juvénile de sa femme.

Enfin, ils retrouvèrent aussi le goût de chanter ensemble ; ils reprirent également l'habitude d'ouvrir leur petite bibliothèque, le samedi matin à des enfants du quartier pour leur lire à voix haute des livres d'Émilie dont ils ne s'étaient jamais séparés, et le mardi en fin d'après-midi à des amis désireux de se revoir pour une conversation littéraire à bâtons rompus autour d'un verre de whisky. Sen-nen et Mathilde, comme autrefois, jouissaient de ces rencontres qui éveillaient des désirs, déclenchaient des rires, suscitaient des espoirs, provoquaient des échanges enjoués. Le monde, à leurs yeux, semblait avoir recouvré sa clarté et sa gaieté premières.

Un soir, cependant, Mathilde fut inconsolable. Elle se rendit compte tout à coup qu'il n'y avait presque rien derrière le frêle rideau de sa mémoire. Un champ vide, effroyablement vide, apparaissait lorsqu'elle se penchait sur l'écoulement de plus de trois décennies en compagnie de son mari. Certains événements marquants, comme sa rencontre avec Sen-nen au stage de chant ou la naissance d'Émilie, lui revenaient avec une netteté accrue sans qu'elle fît d'effort particulier, mais des pans entiers de son passé lui semblaient avoir été effacés par on ne sait quelle main mystérieuse. Elle avait beau se concentrer, rien de très précis ne se présentait à son esprit : c'était à peine si quelques images décolorées flottaient de-ci de-là comme des feuilles d'automne tourbillonnant au gré du vent à la tombée de la nuit. Le présent seul la saisissait de façon aveuglante.

Alors, elle se mit à regarder les photos rassemblées en une cinquantaine d'albums bien rangés dans un coin de la bibliothèque. Tous les jours, pendant plus d'une heure, elle feuilletait les pages, inlassablement. Le plus souvent, Sen-nen lui tenait compagnie. La mémoire se ravivait ; les souvenirs affluaient ; les mots revenaient. Mathilde se mettait à l'épreuve en se demandant si elle se souvenait des circonstances de chaque photo qu'elle regardait. Et, naturellement, certaines lui échappaient... En deux semaines, Mathilde finit de parcourir toute sa vie contenue dans les cinquante volumes, dans des milliers et des milliers de photos en couleurs dont beaucoup étaient jaunies et délavées.

Toutes ces années ont existé... et elles sont derrière moi, sans retour, soupira Mathilde.

...

Ça me fait du bien de regarder toutes ces images... Je vois que ma vie a une certaine épaisseur... Mais, en même temps, comment te dire ? On dirait que tout m'échappe... J'ai peur... Tu sais, j'ai fait un rêve bizarre cette nuit... Je marche avec toi dans un paysage de ruines un peu comme dans un tableau de ce peintre... tu sais, il a souvent peint des ruines et... aussi la Bastille en démolition...

Hubert Robert.

C'est ça. Hubert Robert. Tu me tiens par la main. Mais il y a des trous partout qu'on ne voit pas très bien... parce que c'est le soir. Et c'est bientôt la nuit complète. Il faut donc faire attention à ne pas tomber dedans. Heureusement, Blanca est avec nous. À un moment donné, je m'arrête devant un trou énorme. Je m'y penche comme si je regardais au fond d'un puits. C'est tout noir. Je n'y vois rien. Je crie ton nom... Ton nom porté par ma voix me revient en écho... Alors, j'ai envie de pleurer et je pleure. Je verse toutes mes larmes dans le trou... Je me demande si ça ne permettrait pas au fond noir du trou de remonter et de réapparaître en plein jour…

Elle s'arrêta brusquement.

N'aie pas peur, n'aie pas peur, Mathilde, je suis avec toi.

Sen-nen prit Mathilde dans ses bras. Il entendait le souffle de sa respiration accélérée entrecoupée de petits hoquets.

## 10

Plusieurs années s'écoulèrent, plusieurs années pendant lesquelles le miracle de la santé retrouvée incita Sen-nen et Mathilde à multiplier les occasions de promenade dans Paris et ses environs.

Un jour d'automne, ils envisagèrent une sortie en compagnie de Blanca dans un bois qu'ils appelaient par commodité le Bois Rouge depuis leur première visite peu après leur émigration, à cause des arbres qui étaient à l'époque magnifiquement habillés de leurs feuilles rouges et jaunes. Il faisait très beau. La belle luminosité et le parfum que la brise transportait leur rappelaient la journée passée des années auparavant sur le plateau de la Brume Matinale près du majestueux mont Fuji.

Ils partirent en voiture vers onze heures. Sennen n'aimait pas conduire. Mais il ne pouvait pas faire autrement que de prendre sa vieille Civic pour ne pas se fatiguer inutilement avant la randonnée qui, de toute façon, ne pouvait pas être très longue ni pour elle ni pour lui. Sen-nen laissa la voiture au bord d'une route de campagne. Il demanda à Mathilde si elle était prête à se lancer dans une balade.

Oui, bien sûr. On est venus pour ça !

Ils marchèrent lentement. Sen-nen tenait Mathilde par la taille. Blanca les suivait. Elle ne courait pas comme elle l'avait fait le jour où, grâce au déclencheur automatique, Sen-nen avait pris la photo de Mathilde et de lui-même flanqués de leur chienne admirant le mont Fuji, tournant le dos à l'appareil photo. Vieillissant beaucoup plus vite que les humains, Blanca était maintenant plus âgée que ses compagnons humains âgés. C'était l'impitoyable loi de la nature. Ils choisirent un endroit légèrement en pente, ombragé par un petit arbre. Sen-nen et Mathilde mangèrent le *bento* qu'ils avaient préparé avant de partir : des petits bouts de saucisse de Toulouse, quelques légumes, de l'omelette sucrée à la japonaise, du riz blanc couvert d'une couche fine de sésame noir. Blanca, elle, avait sa gamelle remplie d'eau fraîche. Dans le calme champêtre qui environnait la femme assise, la chienne couchée, l'homme allongé appuyé sur un coude, rien ne semblait marquer les heures et rien ne les obligeait à les compter. Le temps s'écoulait sans trouble, sans violence, sans laisser la trace ravageuse de son écoulement. À un moment donné, Sen-nen crut entendre un rossignol émettre quelques sons d'une légèreté gracieuse. Il leva la tête vers l'arbre et il attendit.

Mais l'oiseau était parti, ou n'était-ce qu'une illusion auditive ? Sen-nen se mit alors à fredonner le duo de Papageno et Pamina qui résonnait dans sa tête depuis plusieurs jours à la suite d'une soirée passée à regarder *La Flûte enchantée* de Bergman. Mathilde le suivit. Ils chantaient en se regardant. Blanca, qui avait posé son museau sur ses pattes, le releva et regarda ses compagnons en train de chanter en balançant leur corps.

PAMINA

*Aux hommes qui savent aimer*
*Est donné d'avoir le cœur bon.*

PAPAGENO

*Le premier devoir de la femme*
*Est de vivre du même élan.*

ENSEMBLE

*Réjouissons-nous de l'amour,*
*C'est lui seul qui donne la vie.*

Tout à coup, Blanca poussa des cris aigus prolongés en dressant la tête vers le ciel comme une louve.

Ah, tu nous accompagnes ! dit Sen-nen en s'interrompant un quart de seconde.

PAMINA

*L'amour adoucit toute peine,*
*Tout être doit lui sacrifier.*

PAPAGENO

*Il est la saveur de nos jours ;*
*Il est présent dans la nature*
*D'où tout vient et où tout retourne.*

ENSEMBLE

*Son noble propos manifeste*
*L'excellence du couple humain.*
*L'homme par elle, par lui la femme*
*Sont élevés au rang des dieux.*

Dès quinze heures, il s'était levé un petit vent qui faisait trembler les feuilles et obligeait l'homme et la femme à mettre leur écharpe autour du cou et à s'envelopper davantage dans leur veste. Ils décidèrent de rentrer.

Ça va, tu n'as pas froid ? Tu n'es pas trop fatiguée ? demanda Sen-nen en ouvrant la portière de la voiture.

Mathilde prit place en répondant à Sen-nen :

Non, au contraire, ça m'a fait le plus grand bien.

Ce fut alors le tour de Blanca. Celle-ci sauta comme d'habitude sur la banquette arrière, mais elle n'y parvint pas et retomba sur son derrière. Sen-nen regarda à la dérobée sa femme assise à l'avant et, sans rien dire, aida la chienne à grimper sur la banquette.

Sen-nen mit le moteur en marche et démarra tout doucement. La vieille Civic avança au milieu des arbres dorés qui formaient comme un long et majestueux tunnel. Le spectacle était impressionnant.

C'est magnifique ! dit Sen-nen.

Oui, splendide ! répondit Mathilde.

Sen-nen se souvint alors brusquement des deux inoubliables personnages de *L'insoutenable légèreté de l'être*: Tomas et Tereza, qui perdent la vie le même jour dans un camion se précipitant et se renversant dans un ravin. Il ne se rappelait pas quels étaient exactement les mots qui décrivaient l'accident mortel du couple retiré à la campagne. Mais le paysage qui s'offrait à ses yeux dans sa dorure foisonnante ne cessait de le ramener vers les deux êtres disparus en même temps. C'était un paysage idyllique qui suscitait soupirs et émerveillements de la part de Mathilde assise à ses côtés.

Le souvenir d'un commentaire qu'il avait lu dans une étude sur le roman de Kundera lui revint aussi presque aussitôt. L'auteur de cette étude opérait un rapprochement quelque peu inattendu entre les personnages kundériens et le couple de vieux paysans Philémon et Baucis dont Ovide raconte l'histoire émouvante dans *Les Métamorphoses*. Sen-nen se demanda si sa femme connaissait ou se rappelait le récit ovidien. Il s'abstint de lui poser la question. Il ne lui parla ni d'Ovide ni de Kundera alors que les deux noms le hantaient. Il se contenta de faire des remarques sur la beauté des couleurs automnales finissantes.

# 11

Tous les rituels de la soirée terminés, Mathilde, raidie de courbatures, alla se coucher.

Sen-nen sortit *Les Métamorphoses* d'Ovide et en lut les pages consacrées à Philémon et à Baucis. C'était l'histoire d'un couple de paysans unis qui avait vieilli dans la pauvreté et qui avait accueilli un jour dans leur modeste cabane Zeus et Hermès voyageant sous les traits de mortels, alors que tous les autres paysans leur avaient refusé l'hospitalité. Les dieux avaient décidé de punir les impies en faisant disparaître leurs maisons sous un déluge, d'épargner seule la chaumière de Philémon et de Baucis et de gratifier, en plus, les paysans hospitaliers d'un don de reconnaissance. Sen-nen lut la fin de l'histoire à voix haute ; il voulait en goûter et apprécier chaque mot écrit par l'auteur disparu deux mille ans auparavant : « *Alors le fils de Saturne s'exprime ainsi avec bonté : "Vieillard, ami de la justice, et toi, digne épouse d'un juste, dites-moi ce que vous souhaitez." Après s'être entretenu un instant avec Baucis, Philémon fait connaître aux dieux leur choix commun : "Être vos prêtres et les gardiens de votre temple, voilà ce que nous demandons ; et, puisque nous avons passé notre vie dans une parfaite union, puisse la même heure nous emporter tous les deux ! puissé-je ne jamais voir le bûcher de mon épouse et ne pas être mis par elle au tombeau !" Leurs vœux se réalisèrent ; ils eurent la garde du temple aussi longtemps que la vie leur fut accordée. Un jour que, brisés par l'âge, ils se tenaient devant les saints degrés et racontaient l'histoire de ce lieu, Baucis vit Philémon se couvrir de feuilles, le vieux Philémon vit des feuilles couvrir Baucis. Déjà une cime s'élevait au-dessus de leurs deux visages ; tant qu'ils le purent, ils s'entretinrent l'un avec l'autre : "Adieu, mon époux ! Adieu, mon épouse !" dirent-ils en même temps, et en même temps leurs bouches disparurent sous la tige qui les enveloppait.* »

Sen-nen referma le livre. Puis, il s'appuya contre le dossier de son fauteuil, les deux mains derrière la tête en guise d'oreiller. Le prunier peint sur le *noren* suspendu au plafond entra dans son champ de vision. Il resta longtemps à le contempler.

Enfin, il rejoignit Mathilde.

# 12

Peu de temps après l'excursion au Bois Rouge, l'état de Mathilde se dégrada brutalement. Et, en quelques semaines, elle fut emportée. Au moment où elle rendit le dernier soupir, Sen-nen était à ses côtés avec Blanca inhabituellement agitée. Celle-ci, en effet, en poussant des gémissements inarticulés, n'arrêtait pas de mettre ses pattes de devant sur le lit comme pour voir le visage de Mathilde. Sen-nen, à genoux, prenait entre ses mains la main droite de sa femme. Il la serrait fort, machinalement ; il la retenait. Enfin, il se releva et posa ses lèvres sur le front de sa femme. La main de Mathilde se crispa un instant. Sen-nen regarda sa femme dans les yeux.

Elle était morte.

Depuis la fameuse soirée des *Noces*, six années s'étaient écoulées. Pendant toutes ces années, Sen-nen avait renouvelé à maintes reprises, sans dévoiler à Mathilde le fond de sa pensée secrète, l'expérience de la soirée Mozart comme si l'écriture du musicien salzbourgeois capable de transformer le concert des voix singulières en un prodigieux organisme vivant était un remède inespéré au mal larvé dans son corps.

Lentement, les mains de Sen-nen libérèrent celle de sa femme pour la poser sur sa poitrine.

## 13

Le médecin traitant de Mathilde que Sen-nen avait osé appeler en pleine nuit constata sa mort et rédigea le certificat médical de décès. Sen-nen fut déconcerté par le caractère tranquillement méthodique et la rapidité de sa démarche. Quand tout fut fini en quelques minutes, le docteur repartit après avoir serré la main de Sen-nen d'une manière un peu plus forte qu'à l'ordinaire. Il ajouta, en se retournant sur le pas de la porte, qu'il téléphonerait lui-même, si ça pouvait arranger Sen-nen, à une entreprise de services funéraires. Sen-nen lui répondit oui sans réfléchir.

Il était maintenant environ cinq heures et demie du matin. Mathilde était allongée au milieu du grand lit, habillée de son long kimono de nuit. La nuit était encore dans le silence noir. On n'entendait que le tic-tac de l'horloge, bruyant, presque agressif. Dans la sombre lumière orange diffusée par le lampadaire à côté de la table de nuit où était posé seul un verre d'eau à moitié plein, le visage encore légèrement coloré de la défunte était paisible et serein. Aucune trace de douleur, aucun indice de trouble morbide, aucun symptôme d'un mal caché quelque part dans son corps n'y transparaissait. Elle était là, étendue sur le dos, sur toute sa longueur d'un mètre soixante-cinq, presque souriante, comme si elle accueillait les envoyés invisibles venus la chercher. Sen-nen contemplait sa femme. Des larmes remplissaient ses yeux, puis en débordaient pour former un petit ruisseau argenté. Quelques instants après, il ne voyait plus rien, rien qu'une vague forme de corps embuée. Alors il sortait de sa poche un mouchoir en éponge pour s'essuyer les yeux. Il était écrasé et broyé par un chagrin immense comme un rocher millénaire.

Il resta assis, hébété, sans pouvoir soulever son corps qu'il sentait étrangement appartenir à quelqu'un d'autre. Chaque seconde qui passait était comme un fardeau à porter et à supporter. Même respirer semblait être devenu un acte lourd qui lui coûtait un effort particulier. Il caressa la tête de Blanca qui s'était posée tout près de lui.

Qu'est-ce qu'on va devenir, Blanca ? murmura Sen-nen d'une voix presque éteinte.

Blanca dévisagea l'homme effondré. Elle poussa des gémissements comme des cris arrachés, à la fois étouffés et suraigus ; puis elle posa son museau sur les genoux de l'homme en pleurs.

Il se leva enfin comme un ours qui sort de sa tanière. Il alla à la salle de bains et laissa couler l'eau chaude dans la baignoire japonaise qu'il avait fait mettre quelque temps après leur installation dans l'appartement. C'était le seul luxe qu'ils s'étaient permis. Sen-nen revint auprès de Mathilde et s'assit. Il se pencha et se prit la tête dans les mains. Puis il se couvrit le visage de ses mains, les coudes sur les genoux. Il attendit.

Au bout de quelques minutes, une voix de femme mécanique déclara que le bain était prêt. Sen-nen se déshabilla. Il resta un bon moment sous une douche bien chaude pour ne pas avoir froid pendant qu'il s'occuperait des ablutions de sa femme. Revenu dans la chambre, il plaça le corps toujours tiède de sa femme sur son séant et commença à lui enlever le kimono. Le corps abandonné à lui-même, sans aucune résistance, était lourd. En plusieurs gestes simples, il réussit néanmoins à débarrasser Mathilde de ce qu'elle portait. Blanca avait assisté à toute cette scène et n'avait pas quitté des yeux son compagnon dévêtu.

L'homme nu prit alors le corps nu dans ses bras et avança vers la salle de bains. Il s'assit sur une chaise blanche en matière synthétique qu'il avait installée pour que Mathilde et lui-même pussent se laver à l'aise. Il aspergea sa femme, puis la savonna. Quand il eut fini de laver tout son corps, il l'aspergea de nouveau pour le rincer. Enfin, il se leva et entra précautionneusement dans la baignoire remplie d'eau fumante et parfaitement transparente, en tenant dans ses bras tendus le corps inerte de Mathilde. Il mit sa femme en équilibre sur ses genoux tout en soutenant sa tête par-derrière avec la main gauche et il s'assit sur le fond de la baignoire, les jambes projetées en avant. La vapeur montait de la surface de l'eau que faisaient miroiter déjà les faibles lueurs de l'aube se diffusant à travers la petite fenêtre de verre dépoli. Quelques minutes après, Sen-nen transpirait par tous les pores. Une sueur abondante perlait sur son front. Mathilde, les yeux fermés, la tête en arrière, était immergée jusqu'au cou. Elle semblait se délecter de la douce chaleur qui pénétrait dans tout son corps. Son visage s'humectait même de minuscules gouttelettes de vapeur. Sen-nen ferma les yeux. Une sensation de bien-être l'envahit et l'entraîna dans un état de somnolence.

Bonsoir, Sen, tu ne dors pas ?

Il entendit une voix de femme prononcer son prénom.

… Je suis allongé torse nu. Je ne dors pas. La porte s'ouvre en couinant et une jeune femme portant une combinaison blanche décolletée en V surgit de l'ombre. « C'est toi ? » La femme ne répond pas. « C'est toi ? » Elle ne répond toujours pas. Son visage est caché par une chevelure abondante qui le recouvre à moitié. Elle vient vers moi en silence. La combinaison qu'elle porte passe d'une blancheur neigeuse à une pâleur bleuâtre. Elle monte sur mes cuisses à califourchon, mais, c'est étrange, je ne sens presque pas son poids. Je me dresse. La chambre est peu éclairée. Même de près, je ne vois pas bien son visage toujours à moitié caché par les cheveux. Je pose mes mains sur ses épaules que je sens osseuses et les glisse ensuite sous les bretelles. Je suis saisi par le froid de sa peau. Je descends les bretelles sur sa taille. Sa poitrine se découvre. Elle dit d'une voix tremblante et monotone qui résonne comme dans une caverne : « C'est pratique... » Elle se penche vers moi et, dans le même mouvement, je m'allonge de nouveau. Elle plaque sa poitrine nue sur la mienne. Je frissonne au contact de son corps glacé que réchauffe peu à peu la chaleur de mon propre corps...

Sen-nen rouvrit les yeux. Il comprit immédiatement qu'il avait rêvé le temps d'une plongée momentanée dans un début de sommeil. Il regarda le visage paisible de Mathilde qui semblait flotter dans la vapeur montante. Sen-nen sentait seulement le poids de la tête de Mathilde qui pesait sur la paume de sa main gauche. Les épaules blanches de sa femme étaient hors de l'eau. Il s'enfonça davantage dans le bain chaud. La chaleur enveloppa le couple.

Sen-nen se laissa entraîner à nouveau par une torpeur envahissante.

... Je me vois dans les bras de mon père. Je suis assis sur ses genoux. J'écoute une histoire que mon père me raconte, ruisselant de transpiration : un garçon né d'une grosse pêche recueillie par un couple de vieux sans enfant va conquérir, avec un chien, un singe et un faisan devenus amis, une île hantée par les ogres. Le garçon est né de la grosse pêche ? C'est la grand-mère qui l'a trouvée dans la rivière ? Moi aussi, je suis né d'une pêche ? Un paysage de neige apparaît. L'univers entier semble être gelé. Une immense baignoire avance dans une rivière coulant sous une voûte d'érables en pleine coloration automnale. C'est une station thermale. Des colonnes de vapeur blanche s'élèvent çà et là. Des pétales et des feuilles tombent comme de la neige dans un silence absolu que ne perce pas le moindre cri d'oiseau. Je suis plongé dans le bain, bien au chaud. Je me tourne vers la femme assise à côté de moi. C'est Mathilde. Des gouttes de sueur lui descendent du front et des tempes, tandis que maintenant des flocons de neige se posent et fondent aussitôt sur les cheveux noués d'un ruban rouge, relevés en chignon, décorés d'une petite fleur blanche de camélia. Mathilde me regarde en esquissant un sourire. Je trouve son sourire d'une troublante beauté. Nous nous embrassons. Le baiser dure longtemps. Le désir monte, irrésistiblement. Je serre Mathilde sur mon cœur dans une étreinte folle qui dénoue ses cheveux. Le monde vacille. La fleur de camélia tombe sur l'eau.

Sen-nen se surprit en train d'embrasser Mathilde sur sa bouche froide. Il ne voyait pas la fleur de camélia. Mais une matière blanchâtre et informe comme de la crème gélatineuse échappée de son tube flottait dans l'eau.

Il ouvrit la porte en verre fumé à trois volets de la salle de bains.

Blanca était assise sur son arrière-train. Elle attendait que la séance de bain fût terminée.

Le corps de Mathilde n'avait pas changé de couleur. Il le déposa sur le lit. Il l'allongea. Le raidissement semblait avoir commencé. Il retourna dans la salle de bains pour s'essuyer et se rhabiller. Il se pressa de revenir dans la chambre, muni d'une grande serviette de bain jaune paille avec laquelle il essuya soigneusement tout le corps lavé et vainement réchauffé de sa femme. Puis il la vêtit comme si elle allait sortir faire une promenade avec lui en compagnie de Blanca : elle était enveloppée dans une robe orange pâle que Sen-nen avait prise dans les affaires de Mathilde parfaitement rangées dans la penderie. Ensuite, il maquilla comme il put le visage de Mathilde à l'aide de quelques produits de beauté qu'il avait trouvés dans la petite armoire vitrée de la salle de bains. Sa main tremblait, ses yeux remplis de larmes ne voyaient distinctement ni le front, ni les yeux, ni le nez, ni la bouche. Après chaque geste de maquilleur, il s'essuyait les yeux.

Elle va pa… partir, balbutia Sen-nen, en regardant Blanca.

Puis il serra contre lui le corps inanimé de Mathilde comme le corps toujours animé du seul rescapé d'une catastrophe.

Il attendit les employés des services funéraires qu'avait dû contacter le médecin.

Deux hommes arrivèrent dès huit heures du matin. Sen-nen emmena Blanca dans la salle à manger et lui demanda d'attendre un moment.

Le corps de Mathilde installé dans le cercueil fut posé dans la salle de séjour entre la chaîne hi-fi et le canapé. Il avait enlevé la petite table basse en verre pour faire de la place. Les deux hommes procédèrent ensuite à des formalités administratives. Sen-nen signa plusieurs documents. Après quoi, ils repartirent en le prévenant qu'ils reviendraient le lendemain pour fixer le couvercle du cercueil.

Ce n'est qu'à ce moment-là que Sen-nen se rendit compte qu'il n'avait pas encore appelé Émilie à New York. Il était trois heures du matin là-bas. Mais il osa lui téléphoner. Sa fille, abasourdie par l'événement survenu, dit à Sen-nen qu'elle ferait tout son possible pour arriver à Paris au plus tôt.

Sen-nen se demanda s'il fallait annoncer la nouvelle à quelques personnes proches. Il hésita. Et finalement, il opta pour la stricte intimité : il résolut de passer la journée devant la défunte seulement avec Blanca et de veiller à trois lorsque Émilie arriverait d'Amérique, peut-être dans le courant de la soirée. L'idée de contrefaire tant soit peu son visage, de porter en quelque sorte un masque invisible, ce qu'exige toute relation sociale quelle qu'elle soit, même dans sa version la plus authentiquement amicale et la plus profondément sincère, était inenvisageable pour Sen-nen qui supportait déjà l'insupportable. Il refusait de s'encombrer du tralala propre à la comédie humaine afin d'être réellement à la hauteur de Blanca qui, elle, souffrait le plus simplement du monde de la disparition subite et inexplicable de Mathilde, qu'elle semblait d'ailleurs chercher en reniflant autour de la grande boîte et partout dans l'appartement, jusqu'au moindre recoin où elle détectait sans doute son odeur persistante.

Sen-nen alla s'asseoir sur le canapé. Blanca le rejoignit. Mathilde était allongée devant eux. Sen-nen voulut écouter *Les Noces de Figaro* dans l'interprétation de Teodor Currentzis à la tête de son orchestre MusicAeterna tant aimée par Mathilde.

Il passa les cent quatre-vingts minutes de l'opéra d'une traite dans une torpeur endolorie. Blanca, elle, couchée entre Sen-nen et Mathilde comme un lion interrogeant l'horizon, regarda d'abord attentivement son compagnon, mais au bout de quelques minutes elle s'allongea de tout son long, puis elle ferma les yeux. Pendant les quatre actes interprétés avec un soin de bijoutier, Blanca geignait de temps à autre comme pour chasser les cauchemars.

Enfin, la musique se termina au terme d'un immense crescendo dans une euphorie grisante où l'on entendait tous les personnages s'écrier : « *Corriam tutti a festeggiar (Courons tous nous réjouir).* »

Blanca se réveilla.

Sen-nen, dans le silence que perturbait seul un acouphène habituel, entendait toujours la voix claire, sensuelle, cristalline de Suzanne. Se superposant et se mêlant à celle de Mathilde, elle lui ramenait une guirlande d'images de la vie qu'il avait passée auprès de sa femme. Ces images, les unes après les autres, se projetaient sur l'écran de son regard intérieur. L'une d'elles se mit en mouvement et s'arrêta : celle de Mathilde à bord d'un train s'éloignant impitoyablement dans la douce luminosité d'un après-midi d'été…

Sen-nen se sentit seul, séparé du passé qu'il ne partageait plus avec personne. Il était seul dans le monde qu'il avait habité, arpenté avec Mathilde. Son corps chancelant occupait désormais seul un point minuscule dans l'immensité sans limites de l'univers. À côté de son corps abandonné à lui-même, il n'y avait plus rien. Strictement rien. Il était entouré de vide.

Un vide effrayant.

Il poussa un profond soupir.

Il affrontait l'inexorable marche du temps brisant les liens, séparant les êtres, anéantissant le monde.

## 14

Mathilde ne se réveilla pas.

Cette fois, même la musique de Wolfgang ne put la ramener à la vie.

Sen-nen veilla sa femme avec sa fille et Blanca.

Tout fut réglé en trois jours. Puis, ce fut le règne du néant.

Le temps continua à s'écouler et il s'écoula encore trois jours au bout desquels Émilie repartit pour New York.

Papa, tu viendras me voir ? demanda Émilie avant de le quitter.

Oui, oui, répondit Sen-nen sans conviction.

## 15

Une semaine s'écoula, truffée de sommeils agités et de rêves épuisants, une semaine pendant laquelle il essaya de boucher les trous du temps, de s'occuper en regardant des films, en écoutant de la musique, en allant à la bibliothèque municipale, en visitant des musées qu'il connaissait ou qu'il ne connaissait pas, en marchant jusqu'à l'épuisement avec Blanca qui l'accompagnait loyalement.

Un soir, il écouta *Le Chevalier à la rose.* À la fin du premier acte, il fut bouleversé par une note extrêmement aiguë et prolongée par laquelle se terminait la petite phrase montante de la Maréchale disant au page Mohammed : « *Cours vite chez le comte et dis-lui que c'est l'écrin de la rose d'argent. Il saura ce qu'il doit faire.* » Consciente de la fin imminente de leurs relations, la dame d'âge mûr venait d'éconduire le comte, son jeune amant Octavian passionnément amoureux d'elle : celui-ci, chargé de l'écrin de la rose d'argent, allait à la rencontre décisive de Sophie, sa future. La petite phrase, à laquelle répondait le premier violon jouant la même note aiguë et cristalline comme une larme qui tombe, brisait la durée, enterrait toute une époque. Elle suscitait soupirs et sanglots chez la Maréchale qui supportait en silence l'implacable marche du temps.

Un autre soir, il revit *Printemps tardif* de Yasujirô Ozu. Il fut ébranlé par la beauté de la dernière scène : Chishû Ryû, le père veuf, une fois rentré dans la maison vide après la cérémonie de mariage de sa fille, commençait à éplucher une pomme. Seul, assis dans un fauteuil en rotin, peu à peu gagné par l'ivresse embrumante, il tenait la pomme de la main gauche, tandis que le couteau de la main droite, suivant la rotation du fruit, laissait s'allonger l'épluchure. Mais quelques secondes après, la pomme cessait de tourner et la longue épluchure tombait d'un coup. Le film se terminait par une prise de vue sombre des vagues sans cesse recommençantes sur la plage de Kamakura. Sen-nen fut assailli par une poussée de larmes contre laquelle il ne lutta pas.

Il se rappela le vœu de son père qui était demeuré inexaucé. Le souvenir de son visage parsemé de taches de vieillesse lui fit penser au visage creusé, spectral du vieil André Gorz et à son admirable *Lettre à D.* : « *La nuit je vois parfois la silhouette d'un homme qui, sur une route vide et dans un paysage désert, marche derrière un corbillard. Je suis cet homme. C'est toi que le corbillard emporte. Je ne veux pas assister à ta crémation : je ne veux pas recevoir un bocal avec tes cendres. J'entends la voix de Kathleen Ferrier qui chante : "Die Welt ist leer, Ich will nicht leben mehr (Le monde est vide, je ne veux pas vivre plus longtemps)" et je me réveille. Je guette ton souffle, ma main t'effleure. Nous aimerions chacun ne pas avoir à survivre à la mort de l'autre.* » Une douleur connue s'empara de lui, une douleur sourde et lourde qu'il avait éprouvée lorsqu'il avait appris que Gorz s'était donné la mort avec sa femme. C'était comme un coup de poignard qu'il recevait en pleine poitrine. La cicatrice se rouvrait. Il entendait lui aussi Kathleen Ferrier qui chantait avec sa voix d'outre-tombe *L'Amour et la vie d'une femme.*

Blanca ne supporta pas la disparition de celle sur qui elle avait pris l'habitude de veiller. Le monde sans Mathilde était un monde imparfait, défaillant, privé de l'odeur qui lui permettait d'être pleinement présente au monde. Elle mourut peu après la disparition de sa compagne humaine. Sen-nen fut broyé de douleur. Il survécut cependant à Mathilde et à Blanca qui ne put survivre à Mathilde.

Il ne se donna pas la mort. Il lui fallait continuer, continuer à vivre dans la douleur destructrice. Il se résigna à vivre, vivre dans la mort de sa femme. Il était presque mort dans sa propre vie. Il n'eut pas, se dit-il, la chance de Philémon et Baucis, ni le courage d'André Gorz. Il ne put faire autrement que de continuer à respirer en buvant ses larmes.

Il passa des jours entiers, semblables à eux-mêmes, où il ne sentait plus que le poids insoulevable du temps stagnant, du temps lourd qui avait du mal à s'écouler.

Les semaines, pourtant, s'envolèrent dans la monotonie des pensées vides.

Les mois passèrent dans le recommencement régulier des gestes identiques.

Enfin, plusieurs années s'écoulèrent.

# 16

À la suite des retrouvailles inattendues avec Clémence, Sen-nen avait reçu de sa part plus d'un message électronique et deux lettres manuscrites. Il était toujours habité par sa voix d'artiste d'autrefois qui se confondait désormais avec sa voix de femme d'aujourd'hui. À chaque lecture, il avait senti quelque chose comme une déchirure. Il n'avait cependant répondu à aucun de ces appels venus du passé déguisé en présent.

Deux ou trois messages encore frappèrent à sa porte après la disparition de Mathilde. Mais il n'y réagit pas. Il se cloîtra au contraire dans le silence. Il ne céda pas à la tentation de lui écrire pour l'informer de ce qui lui était arrivé. Il s'interdit de mêler sa voix à la voix de femme qui vibrait dans l'ombre menaçante du passé mort-vivant.

Un jour, Sen-nen retrouva dans un carton de déménagement non ouvert un DVD égaré parmi des livres. C'était *La Chambre verte* de François Truffaut. Il était inséré, presque caché entre deux livres. Il n'avait pas mis la main dessus depuis fort longtemps. Il avait peur de revoir le film dont il se rappelait parfaitement l'histoire : un homme qui a perdu sa femme fait tout son possible pour perpétuer sa mémoire, alors que pointe à l'horizon un nouvel amour qu'il s'efforce de ne pas voir, de repousser, de refouler.

Il se hasarda à le revoir. Il fut ébranlé.

Puis, le temps s'écoula encore et toujours.

# 17

Un jour qui ressemblait à tous les autres jours, Sen-nen comprit tout à coup que sa vie touchait à sa fin. Il sentait quelque chose comme un poids qui se logeait dans sa poitrine. Il se regarda dans le miroir : il se trouva pitoyablement usé ; il fut surpris des rides profondes qu'avait creusées le temps et des taches brunes qui s'étaient multipliées à son insu sur ses joues. Puis, il s'observa nu avant de prendre son bain. Il vit dans son corps diminué celui de son père qu'il avait aidé à se laver deux ou trois semaines avant sa disparition. Ses forces vitales s'amenuisaient ; elles entraient tout doucement dans la phase finale de leur combustion silencieuse. Sen-nen se souvint de ce qu'on lui avait raconté un jour au sujet d'un vieux maître de yoga à Kyoto : celui-ci aurait dit quelques jours avant sa mort que l'énergie s'épuisait en lui… et que c'était la fin, le terme naturel de la vie qu'il avait reçue à la naissance dans son corps menu. Et il mourut comme il l'avait prédit. Sen-nen n'avait aucune connaissance du yoga, mais, curieusement, il croyait comprendre les propos de ce maître qu'il n'avait jamais rencontré et dont il ne connaissait même pas le nom.

Il fit un rêve étrange cette nuit-là. Au réveil, il griffonna quelques lignes dans son cahier bleu pour ne pas l'oublier. Il fit même un petit dessin pour le visualiser.

Il chercha dans le quartier un artisan teinturier. Il en trouva un non loin de chez lui. Il alla le voir pour lui demander s'il pourrait ajouter sur un rideau en lin quelques motifs supplémentaires. L'artisan teinturier ne voyait pas très bien ce que Sen-nen voulait dire. Celui-ci sortit alors d'un grand sac en plastique un rouleau de tissu qu'il déroula devant l'artisan.

J'ai un petit rideau un peu particulier comme ça.

Ah, c'est un *noren* !

Oui, vous connaissez ?

Oui, c'est très beau. J'en ai un plus petit chez moi.

Il y a ce motif déjà imprimé, voyez-vous ? Je voudrais que vous ajoutiez sur ce rideau quelque chose qui ressemble à ce dessin que j'ai fait. Est-ce possible ?

Ah, je vois. Oui, oui, c'est possible. Mais il faut d'abord affiner votre dessin. Les formes et les couleurs.

L'artisan invita Sen-nen à entrer dans son arrière-boutique. Ils s'assirent à une petite table couverte de papiers et de morceaux de tissus. Ils commencèrent à discuter pour finaliser le dessin à reproduire.

Très bien, je ferai de mon mieux.

Merci, monsieur. Je compte sur vous. Il vous faut combien de temps ?

Donnez-moi deux semaines. Ça ira ?

Je suis un peu pressé…

Il me faut au minimum une semaine, monsieur.

Je comprends.

Je vous appellerai quand j'aurai fini.

D'accord. Je vous dois combien ?

Vous me réglerez quand vous récupérerez votre *noren*.

Non, je préfère vous payer maintenant. On ne sait jamais.

Ah bon ?…

Oui, je préfère.

Dans ce cas, je vous demanderai cent cinquante euros, s'il vous plaît, monsieur.

Parfait.

Un silence se fit. Sen-nen sortit son chéquier. On entendit le bruit d'un stylo à plume qui grattait du papier.

Voilà, monsieur.

Merci, monsieur.

Il salua l'artisan teinturier en lui serrant la main. Avant de sortir de la boutique, Sen-nen se retourna et s'inclina profondément en ôtant son chapeau de feutre noir.

Dehors, un vent d'hiver glacial soufflait.

# 18

Sen-nen téléphona à Émilie. Celle-ci avait l'habitude d'appeler son père une fois par semaine, le plus souvent le dimanche soir heure française. Ce soir-là, c'est Sen-nen qui prit l'initiative. Et ce n'était pas dimanche. Émilie fut surprise.

Qu'est-ce qui t'arrive, papa ?

Rien de spécial. Je voulais simplement entendre ta voix…

En terminant une conversation on ne peut plus banale avec sa fille, il l'invita à venir passer quelques jours de vacances à Paris. Émilie perçut une gravité inhabituelle dans la voix de son père.

Elle vint et passa quatre jours avec Sen-nen. Ils se promenèrent dans quelques endroits qui étaient tous liés à Mathilde dans la mémoire de Sen-nen : le jardin du Luxembourg, le parc Montsouris, le quartier de Saint-Germain-des-Prés, la longue rue des Écoles avec ses cinémas, autant de parcours qu'il avait également empruntés avec Blanca.

Le dernier soir, ils dînèrent dans un restaurant japonais de Saint-André-des-Arts. C'était un lundi. La salle était calme et sombre. Il n'y avait pas beaucoup de clients.

Ça fait une éternité qu'on n'a pas eu l'occasion de s'offrir un dîner au restaurant, comme ça en tête à tête, remarqua Émilie sur un ton faussement gai.

Eh oui. Ça remonte peut-être à l'époque où tu étais encore étudiante ici… Le temps a passé tellement vite…

Tu vas bien, papa ?

Oui, oui, comme peut aller un vieux de soixante-douze ans…

Soixante-douze ans, c'est jeune, papa !

Oh, tu sais, ça dépend. Il y en a qui sont jeunes à un âge franchement avancé ; il y en a, au contraire, qui sont vieux à un âge plutôt jeune. Quant à moi, je suis vieux maintenant. Et je n'en ai peut-être plus pour longtemps…

Oh, papa ! Tu dis n'importe quoi !

Non, pas du tout ! Je sens obscurément que l'énergie vitale s'épuise en moi… Pour toi, par contre, tout commence maintenant, si j'ose dire ! Tu n'as que trente ans…

Trente et un.

Une vie fondée sur la raison et sur l'amour sans illusions, comme dirait Don Alfonso !

Ils avaient passé commande. Chacun avait choisi un menu nommé *Résonance* composé de différents petits plats. Le saké frais présenté dans une carafe en bambou arriva d'abord.

En versant l'alcool légèrement jaunâtre dans

la petite coupe en porcelaine de sa fille, Sen-nen contemplait son visage rayonnant.

Alors, Émilie-*chan*, tu es toujours contente de ton travail ? Ça marche bien ?

Émilie fut étonnée de l'intrusion inattendue du suffixe japonais *chan* qu'elle n'avait pas entendu depuis fort longtemps. Elle se souvint que, lorsqu'elle était enfant, son père, ne lui adressant la parole que dans sa langue, ajoutait systématiquement à son prénom cette petite marque d'affection et de tendresse.

Oui, ça me passionne, ce que je fais. Je m'estime heureuse.

Tu as de la chance. C'est tellement rare de nos jours qu'on puisse s'épanouir dans son travail. J'espère que ça durera… Je touche du bois… Et le reste, ça va ?

Oui, oui… Je suis entourée de bons amis sur qui je peux compter.

Ah oui ? C'est très bien… Je suis content pour toi… Et…

Sen-nen leva la tête. Il entendait confusément des paroles murmurées dans les deux langues qu'il reconnaissait. Ses yeux s'égaraient entre deux énormes poutres noires qui soutenaient le plafond enduit de chaux. Émilie vit sur le visage de son père le signe d'une absence.

Ça va, papa ?

… Oui, quoi… oui, je ne sais plus ce que je voulais dire…

Émilie prit un petit bâtonnet qui portait au bout une rondelle de racine de lotus frite. Elle absorba le légume et versa du saké dans la coupe de son père.

Tu ne manges pas beaucoup, papa.

Si, si, regarde.

Il prit avec ses baguettes une tranche de dorade crue finement coupée pour la tremper dans la sauce de soja au wasabi. Puis il l'avala d'un coup.

Et toi, papa, de ton côté, comment ça va ? Tu n'es pas trop seul ? Comment tu passes tes journées ?

Oh, ne t'inquiète pas pour moi. Je n'ai pas le temps de m'ennuyer, tu sais. Je lis beaucoup. Je vais voir des expos. Je vais au concert et à l'Opéra seul ou avec quelqu'un. Surtout, quand on donne un opéra de Mozart, je ne le rate jamais. Enfin, j'essaie… J'ai quelques amis qui m'invitent régulièrement. Puis, j'écris. Oui, j'écris… Ça, ça m'occupe beaucoup…

Qu'est-ce que tu écris ?

J'écris sur moi, sur maman, sur toi aussi, en français. J'aime écrire en français. C'est horriblement difficile, mais c'est un vrai plaisir pour moi. Ça me sort de ma langue, qui a fait de moi quelqu'un que je n'aime pas trop… Dans une langue qui t'emprisonne dans un système de domination-soumission, la place du principe amitié est extrêmement réduite. J'aime écrire en français parce que au fond, là au moins, je peux parler et explorer la langue de l'amitié…

Tu ne veux pas revoir Tokyo, les quartiers de ton enfance et de votre vie… avec maman ?

Ça me ferait plaisir, c'est certain. Mais ce n'est

pas une nécessité absolue. Tu sais, j'ai construit ma vie d'adulte en français avec Mathilde… Je la finirai en écrivant en français… C'est une manière de prolonger ma vie avec Mathilde… D'ailleurs, elle fait des apparitions surprises…

C'est vrai ?

La nuit avançait à leur insu, sans qu'ils se fussent aperçus du vide qui les entourait. Ils étaient les derniers clients à s'attarder, tandis que les cuisiniers et les serveuses s'affairaient à finir leur longue journée de travail.

Ah, j'allais oublier de te donner ça…

Qu'est-ce que c'est ?

Oh, ce n'est rien. Ce n'est même pas un cadeau. J'ai retrouvé ça en faisant des rangements.

Émilie ouvrit le paquet. C'était une petite photo dans un cadre en bois jaune.

Oh ! il est mignon à croquer ! Tu as trouvé ça aux puces ?

Oui, mais il y a longtemps, très longtemps. J'ai connu ce chien… Enfin, je l'ai vu une fois… Allez, on y va, Émilie-*chan*. Je te raconterai l'histoire de ce chien en marchant…

Le père et la fille s'excusèrent auprès du patron d'être restés jusqu'à une heure tardive. Le père lui demanda de l'excuser de n'avoir pas correctement fini le repas tout en le félicitant du goût exquis de chaque petit plat. Émilie fut frappée par la manière courtoise et fluide dont il s'exprimait dans la langue de son enfance et de son adolescence. Elle se joignit à lui dans ses louanges. Puis elle fit une petite courbette en promettant de revenir. Sen-nen ouvrit la porte. Avant de sortir dans la rue, il s'inclina, il ôta son chapeau noir, il murmura quelque chose de peu audible. Le patron lui répondit par une profonde révérence.

Enfin, ils disparurent dans la nuit.

## 19

Une nuit, quelques semaines après le dîner avec Émilie au restaurant japonais, Sen-nen se trouva mal alors qu'il était couché dans le grand lit dont il n'occupait par habitude que la moitié. Depuis trois ou quatre jours, il sentait que l'appétit l'abandonnait définitivement. Les aliments n'avaient plus de saveur. Ils avaient plutôt le goût âpre du sable qu'il voulait cracher aussitôt qu'il les avait dans la bouche. Il se souvint alors de Momo, la chienne qui avait été à Tokyo une présence constante et affectueuse auprès de lui et de Mathilde et qui, un matin, avait refusé de s'alimenter pour mourir le soir même. Il revoyait ses yeux fatigués, mi-clos, qui lui disaient que c'était la fin.

Il éprouva brusquement une accélération des battements de son cœur en même temps qu'un étouffement dans toute sa poitrine. Les dérèglements cardiaques se transformèrent bientôt en une douleur aiguë qui provoquait la suffocation. Sen-nen vit son champ visuel s'assombrir progressivement. C'est alors que s'éleva de la terre noire le paysage d'une campagne verdoyante où il se promenait avec une jeune femme habillée d'une discrète robe de paysanne d'un temps révolu. Sa main droite tenait celle d'une petite fille aux cheveux blonds de cinq ou six ans qui donnait l'autre main à la jeune femme. Elle riait en regardant deux chiens foufous qui gambadaient à toute allure l'un après l'autre. La petite fille se dégagea bientôt de sa main et de celle de la jeune femme pour aller courir avec les deux animaux. Et tous les trois s'en allaient pour disparaître parmi les arbres vert-noir qu'ils voyaient dans un éloignement considérable. Bientôt, ils entrèrent eux aussi dans la forêt. Il chercha la petite fille. Il cria son nom. Mais il n'entendait pas sa voix ni le nom qu'il avait pourtant bien prononcé. Le silence régnait. Il s'aperçut alors qu'il était seul. La jeune femme ne marchait plus à côté de lui. Il regarda à droite et à gauche. Il se retourna. Il ne voyait plus personne. Alors, le monde commença à pivoter, à tournoyer, à tourbillonner. Et lorsque le tournoiement étourdissant s'arrêta, il se trouvait devant un tout autre spectacle : un paysage de forêt enneigée.

Une voix de soprane suave et délicate s'éleva alors comme un écho affaibli venant d'un monde lointain et résonna longtemps dans les arbres avant de céder la place au son cristallin d'un violon glissant sur la ligne grave et profonde des violoncelles et contrebasses ornée d'une frondaison de notes luxuriantes assurées par les cuivres. Il se demanda si l'heure du sommeil était arrivée…

… La musique se retirait peu à peu. Et, bientôt, tout fut progressivement effacé par une brume grise qui se transforma à la fin en une nuit épaisse d'encre noire.

Il était mort.

# ÉPILOGUE

## *Lettre à Émilie*

Après la crémation de Sen-nen qui s'était déroulée dans la plus grande discrétion, Émilie découvrit, dans les affaires de son père qui lui étaient nommément destinées, un grand cahier à la couverture bleu marine ainsi qu'une enveloppe toute simple sur laquelle était écrit à la main dans une belle écriture calligraphique : « Pour Émilie ».

*18 juin 20…*

*Émilie-chan,*

*Voilà. C'est bientôt fini, je crois.*

*Je suis arrivé dans le monde il y a un peu plus de soixante-dix ans et j'en sors. J'ai fait mon temps à moi dans le Temps qui ne cessera jamais de passer encore longtemps, très longtemps, dans une souveraine indifférence. C'est banal, mais je pense quand même à Montaigne qui a écrit à ce sujet une page superbe : « Le monde n'est qu'une branloire pérenne : toutes choses y branlent sans cesse, la terre, les rochers du Caucase, les pyramides d'Égypte (...). La constance même n'est autre chose qu'un branle plus languissant. (...) Je ne peins pas l'être, je peins le passage. » Tout passe, tout est en mouvement, tout change, tout est dans un devenir continuel ; rien n'est stable, rien n'est immobile, rien ne reste identique à lui-même. C'est cela, la branloire. Le plus terrible, c'est que « la constance même n'est autre chose qu'un branle plus languissant ». Le changement perpétuel est la loi du monde ; le cœur n'y échappe pas. C'est la leçon, au demeurant, de Don Alfonso dans* Così fan tutte *que petite tu écoutais tous les soirs pour t'endormir.*

*À propos de* Così *que nous aimons beaucoup toi et moi, je viens de lire le texte d'Edward W. Saïd recueilli dans son livre posthume* Du style tardif. *Selon lui,* Così *est une œuvre-limite puisque Mozart y explore justement « les limites des expériences ordinaires, acceptables, de l'amour, de la vie et des idées ». À une époque où l'homme était assujetti au dogme religieux de l'immuabilité et de la permanence, il plonge les amoureux dans une expérience périlleuse qui leur révèle la versatilité des identités et l'inconstance des sentiments. On ne peut qu'admirer son audace et son génie qui lui ont permis de composer une musique aussi vivante, aussi entraînante. Le désir s'éteint, l'amour s'use, le feu de la passion se consume. Il faut en effet se rendre à l'évidence. Mais c'est précisément parce que l'homme est prisonnier de cette humaine condition qu'il cherche sans doute à y opposer désespérément son rêve de durée et de constance.*

*Saïd parle aussi de* Fidelio *de Beethoven pour mettre en perspective* Così fan tutte. *Il considère* Fidelio *comme une « énergique réponse, mi-inconsciente mi-délibérée » à* Così *et affirme que chez Beethoven « tous les personnages sont strictement circonscrits dans les limites de leur essence invariable ». Il ramène ainsi l'infaillible fidélité conjugale de Léonore à une conception bourgeoise de la vertu que Mozart, précisément, rejette dans son opéra.*

*Autrefois, moi aussi, je voyais dans* Fidelio *un éloge fade et béat de la fidélité conjugale ; mais, aujourd'hui, je me demande si, justement, Beethoven ne mène pas dans* Fidelio *son propre combat désespéré. Le compositeur viennois, qui n'a cessé d'évoluer et de se métamorphoser au cours de sa carrière, ne saurait être aussi simple d'esprit que les adeptes ordinaires de la morale bourgeoise. Sinon, comment comprendre l'interminable fin en* do *majeur de* Fidelio ? *On dirait que l'artiste se lance, en libérant toute la puissance de l'orchestre et du chœur, dans son ultime effort de résistance à l'instabilité des choses humaines. Ces accents si particuliers au style beethovénien, qui révèlent le désir de l'artiste de demeurer résolument dans la répétition, dans l'affirmation sans cesse recommencée d'un motif sélectionné, se retrouvent dans d'autres œuvres majeures du compositeur : la* Neuvième Symphonie, Missa solemnis, *etc.*

*J'aime l'image beethovénienne de l'homme qui, tout en gardant sa parfaite lucidité sur sa condition d'homme, propose un éloge de la fragile fidélité… Ce n'est peut-être pas très éloigné, contrairement aux apparences, de la leçon finale de Don Alfonso qui dit : « Heureux celui qui (…) se laisse guider par la raison… Au milieu des tourments du monde, il trouvera la sérénité. » Mais la plus haute expression de cette sérénité nécessaire, je la trouve, en ce qui me concerne, non pas dans* Così fan tutte, *mais dans la grande aria de Suzanne au quatrième acte des* Noces de Figaro *: « Deh, vieni, non tardar, o gioia bella ! » C'est à cause de ce moment qui ne dure que quelques minutes que j'ai toujours préféré depuis mon adolescence* Les Noces *aux autres opéras de Mozart-Da Ponte. Suzanne est une figure féminine qui porte en elle passion, intelligence, tendresse… Elle m'a accompagné toute ma vie.*

*Lorsque nous avons dîné ensemble à Paris, je n'ai pas osé te demander si tu avais quelqu'un dans ta vie… Je pensais ce soir-là à des choses qui ressemblent à ce que je viens de dire à propos de* Così *et de* Fidelio.

*Dans l'inconstance généralisée du monde, l'être humain aspire à la constance, à la fidélité, à la durabilité des sentiments. C'est sans doute la raison pour laquelle je suis attiré par le monde pauvre des animaux. Chaque fois que je pense à Momo et à Blanca, je m'effondre d'émotion. Car je les vois toutes les deux inébranlablement et inconditionnellement fidèles jusque dans la mort. Je les vois vivre de toute leur âme le moment présent qui s'étend sur toute la durée de leur existence ; je les vois adhérer à leur temporalité répétitive et circulaire qui n'est pas la nôtre. As-tu lu* L'insoutenable légèreté de l'être *de Milan Kundera ? Il écrit dans le chapitre intitulé « Le sourire de Karénine » (Karénine est le chien des deux personnages principaux) : « L'amour entre l'homme et le chien est idyllique. C'est un amour sans conflits, sans scènes déchirantes, sans évolution. Autour de Tereza et de Tomas, Karénine traçait le cercle de sa vie fondée sur la répétition et il attendait d'eux la même chose. » Et le romancier a eu l'idée de faire mourir Tereza et Tomas le même jour dans un accident de voiture pour qu'ils demeurent à jamais en quelque sorte dans la répétition. Ils n'ont pas eu à survivre l'un à l'autre. Mourir en même temps que sa femme, c'est une idée qui hantait mon père dans sa vieillesse, mais cela ne s'est pas réalisé, comme tu le sais. Moi aussi, en pensant à ton grand-père, j'ai toujours eu cette idée quelque part dans ma tête, mais le destin n'a pas voulu que j'accompagne Mathilde sur son chemin de mort. La vie est ainsi faite.*

*Il y a très longtemps – j'avais ton âge –, l'année même où j'ai redécouvert* Les Noces de Figaro *à l'Opéra avec un émerveillement renouvelé en assistant à toutes ses représentations, j'ai fêté Noël chez moi, dans mon modeste studio d'étudiant, avec trois amis : un Américain, une Chinoise, une Polonaise. Ce fut une merveilleuse soirée, tellement merveilleuse que, une fois chacun rappelé dans son pays, nous nous sommes lancé un défi, une idée folle, celle de nous retrouver à Paris trente ans plus tard jour pour jour. J'avais noté ce rendez-vous insensé dans mon gros cahier bleu que tu trouveras dans mes affaires. Le rendez-vous s'est pétrifié peu à peu, puis s'est transformé en souvenir. Trente ans plus tard, personne dans le groupe n'a pensé à aller au rendez-vous, que je sache. Trente ans s'étaient envolés… Tout avait changé, le monde et, nécessairement, les êtres qui le composent…*

*Je parle, je parle, je parle comme si je reprenais le fil de notre conversation interrompue il y a longtemps…*

*Mais il faut bien que je finisse cette lettre. J'ai encore deux choses à te dire.*

*D'abord, je voudrais te raconter un rêve que j'ai fait il y a peu.*

*Un spectacle grandiose s'offrait à mon regard. J'étais assis sur une branche d'arbre couvert de petites fleurs rouges, d'une beauté discrète. Je voyais d'autres branches partant du tronc et portant également de petites fleurs rouges, certaines épanouies, d'autres mi-closes. Je contemplais, du haut de la branche à deux mètres du sol, un ciel crépusculaire couvert de-ci de-là d'écailles de nuage. Je regarde à ma droite. Je vois un petit moineau très mignon perché sur la branche. Immédiatement, je comprends que c'est maman. C'est si naturel que je ne me demande même pas pourquoi maman a la forme d'un moineau. Je lui dis : « C'est magnifique. » Elle me répond : « C'est splendide ! » C'est alors que je m'aperçois que je suis moi-même un petit moineau perché sur la branche... Le soleil décline. Il embrase le ciel entièrement dégagé. Un rayon de lumière rouge nous éblouit. Tout à coup, j'entends des voix qui viennent d'en bas et qui disent : « Regardez ! Regardez ! » Je tourne la tête. Deux chiens sont assis sur leur séant. Là, je reconnais tout de suite Momo et Blanca. Elles regardent toutes deux dans la même direction, celle du rayon de lumière. On dirait que les moineaux et les chiens prennent un bain de soleil.*

*Voilà mon rêve. Comme j'ai été impressionné par cette scène si nette, je me suis empressé de la noter en me réveillant. Et je me suis rendu compte que l'arbre que j'avais vu dans le rêve était le prunier stylisé peint sur le* noren *suspendu au plafond de mon bureau. Je ne sais pas si tu te souviens de ce* noren *que maman aimait beaucoup. Sur ce grand rideau rectangulaire, on ne voit que le prunier, bien sûr. Alors j'ai eu l'idée de faire ajouter les deux moineaux et les deux chiens qui contemplent ensemble la lumière rouge. Je suis allé voir un artisan teinturier pour lui expliquer ce que je souhaitais qu'il imprimât sur le* noren. *L'artisan a bien travaillé. Tu le garderas en signe de notre bienveillance à ton égard. Car, j'en suis persuadé, la source de la lumière rouge qui se trouve hors du tableau, c'est toi…*

*La deuxième chose, c'est que j'ai écrit un livre. Au restaurant japonais à Paris, je t'ai dit que j'essayais d'écrire en français malgré toutes sortes de difficultés et qu'en français je pouvais parler la langue de l'amitié… En fait, je mettais la dernière main à ce livre dans lequel je parle essentiellement du lien qui m'unit à Mathilde. Je n'en dis pas plus puisque ce livre sera bientôt publié. Tu recevras de la maison d'édition une vingtaine d'exemplaires. Le petit service que je voudrais te demander, c'est d'envoyer un exemplaire à Clémence S., une ancienne cantatrice, dont tu trouveras les coordonnées à la dernière page de mon cahier.*

*Je n'ai pas hésité entre le japonais et le français pour écrire cette lettre. Quand tu étais petite, je m'adaptais à ton choix, tu te souviens. Mais ici, j'ai opté sans états d'âme pour la langue que j'ai épousée définitivement en épousant Mathilde. Après tout, c'est dans et par cette langue que j'ai essayé de me construire. J'avais fait ce choix de migration linguistique pour tenir à distance mon inscription innée dans le pays du Soleil-Levant.*

*Ce qui caractérise l'être-ensemble japonais, c'est la soumission conformiste des individus au pouvoir autoritaire. C'est la « basse obstinée » de la culture politique japonaise. On croyait qu'elle avait été éradiquée après la guerre, avec la mise en place de la Constitution démocratique. Mais non. Elle a survécu et elle est même revenue en force. On dirait qu'elle résiste à tout comme les cafards qui résistent à toutes les catastrophes naturelles depuis la nuit des temps. J'ai toujours voulu m'éloigner du système politico-culturel qui avait détruit dans le passé des millions de vies. Et, finalement, j'ai fui le pays pour de bon lorsque l'air liberticide est devenu franchement irrespirable.*

*Tout cela pour te dire pourquoi j'ai choisi le français dans cette lettre. La langue japonaise n'aurait-elle pas sa part de responsabilité dans la difficulté de liquidation du sombre passé ? Sortir de ma langue, me débarrasser des liens qu'elle m'impose pour en tisser d'autres par la médiation du français, ça a toujours été un plaisir libérateur pour moi… Je voulais te communiquer ce plaisir une dernière fois…*

*J'écoute, en écrivant ces lignes, le quatrième acte des* Noces *dans la version d'un chef d'orchestre extraordinaire qui s'appelle Teodor Currentzis. Tu te souviens, maman nous avait stupéfiés en recouvrant la santé d'une manière tout à fait miraculeuse, alors qu'on la croyait condamnée. Le médecin ne comprenait pas comment une telle amélioration avait pu se produire. Je n'ai jamais rien dit à personne sur ce sujet, mais je me demande si ce n'est pas Mozart, celui de Currentzis, qui l'a guérie : le miracle s'est produit juste après une écoute intégrale des* Noces *dans son interprétation.*

*Je pense à Mathilde en écoutant la grande aria de Suzanne qui dit, avec une inaltérable sérénité, le plein épanouissement de son amour. J'entends vibrer en moi sa voix translucide et onctueuse.*

*Adieu, ma chère Émilie,*
*Je pense infiniment à toi. Sois heureuse.*

*Sen-nen, alias Mille-Ans*

Deux mois après le décès de Sen-nen, Émilie reçut en effet un carton solidement protégé contenant son livre en vingt exemplaires. Sur chaque exemplaire était apposée une large bande amovible signalant dans un coin le nom de l'auteur et reproduisant photographiquement la partie centrale du *noren* qu'elle avait trouvé dans les affaires de son père. Elle envoya immédiatement un exemplaire à Clémence S. glissé dans une enveloppe à bulles jaune avec une carte postale dedans. Celle-ci reproduisait le fameux portrait de Mozart peint par Lange. Émilie avait écrit au dos de cette carte tout simplement : « *De la part de Sen-nen Y. décédé le 2 juillet dernier. Émilie, sa fille.* » Mais l'enveloppe lui revint moins de quinze jours plus tard avec l'étiquette de la Poste collée dessus : « Inconnu à cette adresse ».

Émilie venait de terminer la lecture du livre.

## REMERCIEMENTS

Ils vont d'abord et surtout à Jean-Marie Laclavetine, Roger Grenier et Daniel Pennac qui m'ont tous les trois soutenu avec une attention délicate et bienveillante, alors que je me sentais perdu et orphelin après la disparition brutale, en janvier 2013, de J.-B. Pontalis.

Ils vont aussi à Jacques Poget qui, depuis sa maison de Corcelles-le-Jorat en Suisse, n'a cessé de s'enquérir fraternellement de l'évolution d'*Un amour de Mille-Ans.*

Ils vont également à Françoise Bresch et Xavier Combes ainsi qu'à Marion et Philippe Jacquier dont l'amitié, depuis le jour où Françoise nous avait réunis autour d'*Une langue venue d'ailleurs* et de *Mélodie,* ne s'est jamais démentie.

Mes pensées vont enfin à Brigitte Bost-Pontalis qui continue à nous recevoir chaleureusement, Michèle et moi, autour d'un verre de whisky comme si J.-B. était toujours parmi nous.

## DU MÊME AUTEUR

*Aux Éditions Gallimard*

UNE LANGUE VENUE D'AILLEURS, 2011, collection *L'un et l'autre* (Folio n° 5520).

MÉLODIE : CHRONIQUE D'UNE PASSION, 2013, collection *L'un et l'autre* (Folio n° 5811).

PETIT ÉLOGE DE L'ERRANCE, 2014 (Folio 2 euros n° 5821).

UN AMOUR DE MILLE-ANS, 2017, collection *Blanche* (Folio n° 6523).

*Aux Éditions Arléa*

DANS LES EAUX PROFONDES, collection *La Rencontre*, 2018.

# COLLECTION FOLIO

*Dernières parutions*

6561. Pénélope Bagieu — *Culottées Livre I – Partie 1. Des femmes qui ne font que ce qu'elles veulent*
6562. Pénélope Bagieu — *Culottées Livre I – Partie 2. Des femmes qui ne font que ce qu'elles veulent*
6563. Jean Giono — *Refus d'obéissance*
6564. Ivan Tourguéniev — *Les Eaux tranquilles*
6565. Victor Hugo — *William Shakespeare*
6566. Collectif — *Déclaration universelle des droits de l'homme*
6567. Collectif — *Bonne année ! 10 réveillons littéraires*
6568. Pierre Adrian — *Des âmes simples*
6569. Muriel Barbery — *La vie des elfes*
6570. Camille Laurens — *La petite danseuse de quatorze ans*
6571. Erri De Luca — *La nature exposée*
6572. Elena Ferrante — *L'enfant perdue. L'amie prodigieuse IV*
6573. René Frégni — *Les vivants au prix des morts*
6574. Karl Ove Knausgaard — *Aux confins du monde. Mon combat IV*
6575. Nina Leger — *Mise en pièces*
6576. Christophe Ono-dit-Biot — *Croire au merveilleux*
6577. Graham Swift — *Le dimanche des mères*
6578. Sophie Van der Linden — *De terre et de mer*
6579. Honoré de Balzac — *La Vendetta*
6580. Antoine Bello — *Manikin 100*
6581. Ian McEwan — *Mon roman pourpre aux pages parfumées* et autres nouvelles

| | |
|---|---|
| 6582. Irène Némirovsky | *Film parlé* |
| 6583. Jean-Baptiste Andrea | *Ma reine* |
| 6584. Mikhaïl Boulgakov | *Le Maître et Marguerite* |
| 6585. Georges Bernanos | *Sous le soleil de Satan* |
| 6586. Stefan Zweig | *Nouvelle du jeu d'échecs* |
| 6587. Fédor Dostoïevski | *Le Joueur* |
| 6588. Alexandre Pouchkine | *La Dame de pique* |
| 6589. Edgar Allan Poe | *Le Joueur d'échecs de Maelzel* |
| 6590. Jules Barbey d'Aurevilly | *Le Dessous de cartes d'une partie de whist* |
| 6592. Antoine Bello | *L'homme qui s'envola* |
| 6593. François-Henri Désérable | *Un certain M. Piekielny* |
| 6594. Dario Franceschini | *Ailleurs* |
| 6595. Pascal Quignard | *Dans ce jardin qu'on aimait* |
| 6596. Meir Shalev | *Un fusil, une vache, un arbre et une femme* |
| 6597. Sylvain Tesson | *Sur les chemins noirs* |
| 6598. Frédéric Verger | *Les rêveuses* |
| 6599. John Edgar Wideman | *Écrire pour sauver une vie. Le dossier Louis Till* |
| 6600. John Edgar Wideman | *La trilogie de Homewood* |
| 6601. Yannick Haenel | *Tiens ferme ta couronne* |
| 6602. Aristophane | *L'Assemblée des femmes* |
| 6603. Denis Diderot | *Regrets sur ma vieille robe de chambre* |
| 6604. Edgar Allan Poe | *Eureka* |
| 6605. François de La Mothe Le Vayer | *De la liberté et de la servitude* |
| 6606. Salvatore Basile | *Petits miracles au bureau des objets trouvés* |
| 6607. Fabrice Caro | *Figurec* |
| 6608. Olivier Chantraine | *Un élément perturbateur* |
| 6610. Roy Jacobsen | *Les invisibles* |
| 6611. Ian McEwan | *Dans une coque de noix* |
| 6612. Claire Messud | *La fille qui brûle* |
| 6613. Jean d'Ormesson | *Je dirai malgré tout que cette vie fut belle* |
| 6614. Orhan Pamuk | *Cette chose étrange en moi* |

| | | |
|---|---|---|
| 6615. | Philippe Sollers | *Centre* |
| 6616. | Honoré de Balzac | *Gobseck* et autres récits d'argent |
| 6618. | Chimamanda Ngozi Adichie | *Le tremblement* précédé de *Lundi de la semaine dernière* |
| 6619. | Elsa Triolet | *Le destin personnel* suivi de *La belle épicière* |
| 6620. | Brillat-Savarin | *Dis-moi ce que tu manges, je te dirai ce que tu es* |
| 6621. | Lucrèce | *L'esprit et l'âme se tiennent étroitement unis. De la nature, Livre III* |
| 6622. | La mère du révérend Jôjin | *Un malheur absolu* |
| 6623. | Ron Rash | *Un pied au paradis* |
| 6624. | David Fauquemberg | *Bluff* |
| 6625. | Cédric Gras | *La mer des Cosmonautes* |
| 6626. | Paolo Rumiz | *Le phare, voyage immobile* |
| 6627. | Sebastian Barry | *Des jours sans fin* |
| 6628. | Olivier Bourdeaut | *Pactum salis* |
| 6629. | Collectif | *À la table des diplomates. L'histoire de France racontée à travers ses grands repas. 1520-2015* |
| 6630. | Anna Hope | *La salle de bal* |
| 6631. | Violaine Huisman | *Fugitive parce que reine* |
| 6632. | Paulette Jiles | *Des nouvelles du monde* |
| 6633. | Sayaka Murata | *La fille de la supérette* |
| 6634. | Hannah Tinti | *Les douze balles dans la peau de Samuel Hawley* |
| 6635. | Marc Dugain | *Ils vont tuer Robert Kennedy* |
| 6636. | Collectif | *Voyageurs de la Renaissance. Léon l'Africain, Christophe Colomb, Jean de Léry et les autres* |
| 6637. | François-René de Chateaubriand | *Voyage en Amérique* |

6638. Christelle Dabos — *La Passe-miroir, Livre III. La mémoire de Babel*
6639. Jean-Paul Didierlaurent — *La fissure*
6640. David Foenkinos — *Vers la beauté*
6641. Christophe Honoré — *Ton père*
6642. Alexis Jenni — *La conquête des îles de la Terre Ferme*
6643. Philippe Krhajac — *Un dieu dans la poitrine*
6644. Eka Kurniawan — *Les belles de Halimunda*
6645. Marie-Hélène Lafon — *Nos vies*
6646. Philip Roth — *Pourquoi écrire ? Du côté de Portnoy – Parlons travail – Explications*
6647. Martin Winckler — *Les Histoires de Franz*
6648. Julie Wolkenstein — *Les vacances*
6649. Naomi Wood — *Mrs Hemingway*
6650. Collectif — *Tous végétariens ! D'Ovide à Ginsberg, petit précis de littérature végétarienne*
6651. Hans Fallada — *Voyous, truands et autres voleurs*
6652. Marina Tsvétaïéva — *La tempête de neige – Une aventure*
6653. Émile Zola — *Le Paradis des chats*
6654. Antoine Hamilton — *Mémoires du comte de Gramont*
6655. Joël Baqué — *La fonte des glaces*
6656. Paul-Henry Bizon — *La louve*
6657. Geneviève Damas — *Patricia*
6658. Marie Darrieussecq — *Notre vie dans les forêts*
6659. Étienne de Montety — *L'amant noir*
6660. Franz-Olivier Giesbert — *Belle d'amour*
6661. Jens Christian Grøndahl — *Quelle n'est pas ma joie*
6662. Thomas Gunzig — *La vie sauvage*
6663. Fabrice Humbert — *Comment vivre en héros ?*
6664. Angela Huth — *Valse-hésitation*

| | | |
|---|---|---|
| 6665. | Claudio Magris | *Classé sans suite* |
| 6666. | János Székely | *L'enfant du Danube* |
| 6667. | Mario Vargas Llosa | *Aux Cinq Rues, Lima* |
| 6668. | Alexandre Dumas | *Les Quarante-Cinq* |
| 6669. | Jean-Philippe Blondel | *La mise à nu* |
| 6670. | Ryôkan | *Ô pruniers en fleur* |
| 6671. | Philippe Djian | *À l'aube* |
| 6672. | Régis Jauffret | *Microfictions II. 2018* |
| 6673. | Maylis de Kerangal | *Un chemin de tables* |
| 6674. | Ludmila Oulitskaïa | *L'échelle de Jacob* |
| 6675. | Marc Pautrel | *La vie princière* |
| 6676. | Jean-Christophe Rufin | *Le suspendu de Conakry. Les énigmes d'Aurel le Consul* |
| 6677. | Isabelle Sorente | *180 jours* |
| 6678. | Victor Hugo | *Les Contemplations* |
| 6679. | Michel de Montaigne | *Des Cannibales / Des coches* |
| 6680. | Christian Bobin | *Un bruit de balançoire* |
| 6681. | Élisabeth de Fontenay et Alain Finkielkraut | *En terrain miné* |
| 6682. | Philippe Forest | *L'oubli* |
| 6683. | Nicola Lagioia | *La Féroce* |
| 6684. | Javier Marías | *Si rude soit le début* |
| 6685. | Javier Marías | *Mauvaise nature.* Nouvelles complètes |
| 6686. | Patrick Modiano | *Souvenirs dormants* |
| 6687. | Arto Paasilinna | *Un éléphant, ça danse énormément* |
| 6688. | Guillaume Poix | *Les fils conducteurs* |
| 6689. | Éric Reinhardt | *La chambre des époux* |
| 6690. | Éric Reinhardt | *Cendrillon* |
| 6691. | Jean-Marie Rouart | *La vérité sur la comtesse Berdaiev* |
| 6692. | Jón Kalman Stefánsson | *Ásta* |
| 6693. | Corinne Atlan | *Petit éloge des brumes* |
| 6694. | Ludmila Oulitskaïa | *La soupe d'orge perlé* et autres nouvelles |

| | | |
|---|---|---|
| 6695. | Stefan Zweig | *Les Deux Sœurs* précédé d'*Une histoire au crépuscule* |
| 6696. | Ésope | *Fables* précédées de la *Vie d'Ésope* |
| 6697. | Jack London | *L'Appel de la forêt* |
| 6698. | Pierre Assouline | *Retour à Séfarad* |
| 6699. | Nathalie Azoulai | *Les spectateurs* |
| 6700. | Arno Bertina | *Des châteaux qui brûlent* |
| 6701. | Pierre Bordage | *Tout sur le zéro* |
| 6702. | Catherine Cusset | *Vie de David Hockney* |
| 6703. | Dave Eggers | *Une œuvre déchirante d'un génie renversant* |
| 6704. | Nicolas Fargues | *Je ne suis pas une héroïne* |
| 6705. | Timothée de Fombelle | *Neverland* |
| 6706. | Jérôme Garcin | *Le syndrome de Garcin* |
| 6707. | Jonathan Littell | *Les récits de Fata Morgana* |
| 6708. | Jonathan Littell | *Une vieille histoire.* Nouvelle version |
| 6709. | Herta Müller | *Le renard était déjà le chasseur* |
| 6710. | Arundhati Roy | *Le Ministère du Bonheur Suprême* |
| 6711. | Baltasar Gracian | *L'Art de vivre avec élégance. Cent maximes de L'Homme de cour* |
| 6712. | James Baldwin | *L'homme qui meurt* |
| 6713. | Pierre Bergounioux | *Le premier mot* |
| 6714. | Tahar Ben Jelloun | *La punition* |
| 6715. | John Dos Passos | *Le 42e parallèle. U.S.A. I* |
| 6716. | John Dos Passos | *1919. U.S.A. II* |
| 6717. | John Dos Passos | *La grosse galette. U.S.A. III* |
| 6718. | Bruno Fuligni | *Dans les archives inédites du ministère de l'Intérieur. Un siècle de secrets d'État (1870-1945)* |
| 6719. | André Gide | *Correspondance. 1888-1951* |
| 6720. | Philippe Le Guillou | *La route de la mer* |

| | | |
|---|---|---|
| 6721. | Philippe Le Guillou | *Le roi dort* |
| 6722. | Jean-Noël Pancrazi | *Je voulais leur dire mon amour* |
| 6723. | Maria Pourchet | *Champion* |
| 6724. | Jean Rolin | *Le traquet kurde* |
| 6725. | Pénélope Bagieu | *Culottées Livre II-partie 1* |
| 6726. | Pénélope Bagieu | *Culottées Livre II-partie 2* |
| 6727. | Marcel Proust | *Vacances de Pâques* et autres chroniques |
| 6728. | Jane Austen | *Amour et amitié* |
| 6729. | Collectif | *Scènes de lecture. De saint Augustin à Proust* |
| 6730. | Christophe Boltanski | *Le guetteur* |
| 6731. | Albert Camus et Maria Casarès | *Correspondance. 1944-1959* |
| 6732. | Albert Camus et Louis Guilloux | *Correspondance. 1945-1959* |
| 6733. | Ousmane Diarra | *La route des clameurs* |
| 6734. | Eugène Ébodé | *La transmission* |
| 6735. | Éric Fottorino | *Dix-sept ans* |
| 6736. | Hélène Gestern | *Un vertige* suivi de *La séparation* |
| 6737. | Jean Hatzfeld | *Deux mètres dix* |
| 6738. | Philippe Lançon | *Le lambeau* |
| 6739. | Zadie Smith | *Swing Time* |
| 6740. | Serge Toubiana | *Les bouées jaunes* |
| 6741. | C. E. Morgan | *Le sport des rois* |
| 6742. | Marguerite Yourcenar | *Les Songes et les Sorts* |
| 6743. | Les sœurs Brontë | *Autolouange* et autres poèmes |
| 6744. | F. Scott Fitzgerald | *Le diamant gros comme le Ritz* |
| 6745. | Nicolas Gogol | *2 nouvelles de Pétersbourg* |
| 6746. | Eugène Dabit | *Fauteuils réservés* et autres contes |
| 6747. | Jules Verne | *Cinq semaines en ballon* |
| 6748. | Henry James | *La Princesse Casamassima* |
| 6749. | Claire Castillon | *Ma grande* |

*Composition IGS-CP à l'Isle-d'Espagnac (16)*
*Impression Maury Imprimeur*
*45330 Malesherbes*
*le 2 février 2021.*
*Dépôt légal : février 2021.*
*1^er^ dépôt légal dans la collection : septembre 2018*
*Numéro d'imprimeur : 251713.*

ISBN 978-2-07-278229-9. / Imprimé en France.

379178